SUR LES PAS DE SISSI

SUR LES PAS DE SISSI

Jean des Cars

Photographies de Jérôme da Cunha

FRANCE LOISIRS
123, boulevard de Grenelle, Paris

Responsable d'édition : Arlette Moreau
Maquette et mise en pages : Didier Thimonier

Edition du Club France Loisirs, Paris,
avec l'autorisation de la Librairie Académique Perrin
© Perrin 1989
 ISBN 2-7242-5087-7
N° éditeur : 19406
Dépôt légal juillet 1990

Sissi,
une femme
éternelle

Malgré les bouleversements et les remises en cause des traditions, certains mythes résistent à toutes les agressions. On croyait celui de Sissi totalement suranné, dépassé, condamné par les modes et le temps. On avait décidé - un peu vite ! - que les valses viennoises et les saines espiègleries campagnardes de la jeune princesse bavaroise, révélées au grand public des salles obscures par Romy Schneider, étaient ridicules ; on avait rangé brandebourgs, crinolines et battements de cœur dans le grenier aux souvenirs. On avait annoncé - sans vérification ! - que le roman d'amour contrarié de la belle impératrice avec son cousin François-Joseph, devenu son mari, n'était qu'un roman-photo pour midinettes. D'ailleurs, il n'y avait plus de midinettes... Ainsi, après la destruction politique de l'Empire austro-hongrois en 1919, on piétinait avec mépris les soubresauts d'une nostalgie. Cette nostalgie ne voulait pas mourir et ses derniers souffles étaient le cinéma et le tourisme.

Et puis, à la surprise générale, un magazine important, guère spécialisé dans le culte des mythologies publiait un sondage dont l'un des résultats balayait les idées reçues. A une forte majorité, les femmes (en l'occurrence des Françaises) avouaient que le personnage historique auxquelles elles s'identifieraient volontiers est Sissi ! Incroyable ! De quoi décourager tous les mouvements féministes. L'échafaudage compliqué des branchés et des intellectuels dégringola pendant ce week-end sous les commentaires savoureux des confrères. Après tant de malheurs racontés en Agfacolor par une caméra très sage des années 50, après d'innombrables articles, études, biographies et diagnostics médicaux, Sissi sortait intacte, sublime, esquissant un sourire de triomphe.

Le cours de l'Histoire, qui se plaît à effacer des héros et héroïnes, était démenti par la victoire d'une femme. Mais quelle femme ! De surcroît, une impératrice et reine...

Comme on s'en doute, j'ai applaudi ce choix des Françaises, qui confortait mes observations. Il est normal que les femmes se reconnaissent en celle qui, à la cour de Vienne, les a représentées avec défi et grandeur. Bien entendu, il faut mettre à part la dérive cinématographique du personnage qui a conduit à une amplification impressionnante, voire à une confusion, des rôles. Mais peut-on ignorer que chaque rediffusion télévisée de la série des Sissi rafle une audience record à un degré tel que ces trois longs métrages paraissent des classiques du genre, inusables, indémodables ?

Ce que les femmes aiment chez Sissi - la vraie -, c'est d'abord la multiplicité de son destin. Il y a, au moins, trois femmes en elle : Sissi la sauvage, Élisabeth l'impériale, Erzsébet la royale, cette dernière étant la moins connue. Leur point commun : une très grande beauté. Les femmes ont envie d'être belles, hier comme aujourd'hui. Physiquement, cette femme échappe à la critique et aux conventions de son époque. Ambassadrice de la séduction européenne, d'illustres peintres et des photographes inconnus ont glorifié la douceur de son visage, sa taille élancée, sa silhouette perpétuellement mince, son regard chaud et doux. Ensuite, on trouve la gaieté des jeunes années, les émois de l'amour, les tragédies familiales, politiques et dynastiques, le réveil des nationalismes et la brutale conclusion d'un

destin. Tout cela plaît : dans la vie de Sissi, l'éventail des situations publiques et privées, sans parler des admirables paysages où se déroule ce feuilleton à grand spectacle, est fort riche.

De même, la modernité de cette femme triomphe des clichés. J'avais déjà pu le vérifier il y a une vingtaine d'années, en commençant l'étude de sa vie et de ses réactions : Sissi est le contraire d'une femme mièvre, passive, minaudante. Elle refuse d'être une impératrice-objet. Elle est active, agitée par un désordre psychologique parfois inquiétant ; elle est une épouse ingénue et amoureuse, une mère bloquée par des engrenages vieux comme les siècles ; elle les fera sauter mais trop tard et ressortira épuisée et anéantie de cette lutte contre l'étiquette, le protocole et le carcan familial. Sissi bouge sans arrêt. Elle n'est jamais là où on la croit, instable, mal à l'aise, en quête d'ailleurs. C'est une femme pressée que, quelques décennies plus tard, Paul Morand aurait glissée au volant d'une Bugatti, filant vers Cintra ou Istanbul.

Enfin, Sissi, pudique, fragile, est la moins égoïste des têtes couronnées. Son souci de ne pas déranger les autres, combiné à l'obsession d'être anonyme, caractérise sa vie quotidienne. Cette discrétion lui sera fatale : son assassinat se révèle être, surtout, la mort d'une personne sans protection, parce qu'elle a renoncé à se défendre. Peut-on lutter contre la fatalité ? La disponibilité de l'impératrice et reine est remarquable. Sissi écoute les autres, leurs revendications, leurs souhaits. Elle sait entendre, influencer, intervenir. Elle sera, ainsi, l'avocat d'une grande cause européenne qui se nomme la Hongrie. Et ce choix explique, aujourd'hui, que son souvenir tienne dans ce pays une place que deux guerres mondiales, la rancœur contre les Habsbourg et le communisme avaient, pourtant, supprimée.

Élisabeth a collectionné les péripéties, les bonheurs et, surtout, les malheurs. A sa vie, il ne manque ni un ruban de soie rose ni un voile de crêpe noir. On peut dire qu'elle a tout connu, sur fond de bouleversements européens : les palais lambrissés et les chalets rustiques, le sport et les voyages, les farces incongrues et les drames atroces, le régime alimentaire draconien et l'angoisse des poètes, les méandres insoupçonnés de la psychanalyse et même un ménage à trois... Ses combats sont ceux de la féminité avec une part de rêve qui est l'oxygène du romanesque. Sissi était en avance. Elle est toujours d'avant-garde, nimbée d'une fragrance fin de siècle qui lui confère un charme irremplaçable. Elle est une femme de notre temps.

Jean des CARS.

Page de gauche : Un buste en marbre de l'impératrice sculpté par Victor Tilgner, en 1879. La souveraine a quarante-deux ans. Page de droite : quatorze portraits et photographies d'une femme multiple : la princesse Elisabeth en Bavière, l'impératrice d'Autriche, la reine de Hongrie, Sissi, l'amazone, la dame en noir des Habsbourg... Un destin extraordinaire, forgé autour d'une lumineuse et incontestable beauté.

Les féeries de Bavière

C'est l'une des plus attrayantes régions d'Europe. Un séjour en Bavière, même bref, laisse une impression de dépaysement à la fois sain et grandiose. Un climat revigorant, déjà continental, fait se succéder des hivers longs, froids, neigeux à des étés chauds qui nimbent les montagnes d'or. Si le printemps y rassemble toutes les promesses de cette saison dans les Alpes, l'automne est, de loin, la plus indiquée des périodes de l'année pour se rendre au pays de la jeune Sissi. Et il est impossible de comprendre l'amour de la nature et le romantisme poussé du caractère de la princesse si l'on ne s'arrête pas, en premier lieu, sur le décor de son enfance. Par chance, il est presque intact.

Reportons-nous à l'année 1837. Pendant la nuit de Noël au cours de laquelle ce pays, très catholique, attend la naissance du Christ, à 10 h 43 du soir, une petite princesse voit le jour dans un palais de Munich. Ce palais, situé Ludwigstrasse, est le palais Wittelsbach, c'est-à-dire celui d'une des plus anciennes familles d'Occident et l'une des plus brillantes où princes et ducs ont atteint la puissance royale grâce à la volonté de Napoléon, en 1806.

La petite fille sera prénommée Élisabeth et titrée duchesse en Bavière car elle appartient à la branche cadette de la dynastie.

Très vite, Élisabeth est surnommée Sissi, selon une charmante coutume familiale qui affecte des surnoms aux êtres et aux lieux. Les souvenirs de Sissi commencent réellement à environ 35 kilomètres au sud de Munich, au château familial de Possenhofen, qu'on appelle Possi.

Possenhofen est admirablement situé en bordure du lac de Starnberg. La maison, sans finesse, est une grosse bâtisse presque carrée, flanquée de tours crénelées. Elle est le pendant d'un autre château familial, situé sur la rive en face, Berg.

La Bavière romantique où la jeune princesse Elisabeth a vécu une enfance familiale sous le sceau de l'indépendance. Elle écrit des poèmes dédiés aux lacs, aux fleurs et au vent...

Sissi en 1853, à l'époque de ses fiançailles. Elle a seize ans.

9

Des eaux calmes, en dehors de quelques orages d'été, des sous-bois complices, des fleurs et l'extraordinaire personnalité du père de Sissi, le bon duc Max, sont à citer parmi les impressions que ressent la jeune fille. A Possi, elle est heureuse. A la campagne, à la montagne, elle est à l'aise. Comme son père, homme fin et qui ne s'embarrasse pas de protocole ; il aime s'attarder dans les auberges où l'on fume la pipe en dégustant une bière fraîche ; il chante avec les paysans ses amis et manifeste à l'égard de la vie citadine une méfiance que sa fille préférée transformera en haine. Possenhofen, qui, récemment restauré, est aujourd'hui une résidence que l'on ne peut voir que de l'extérieur, est le cadre idéal pour une enfance indépendante. Sissi évolue aussi libre qu'une fleur des champs, au rythme de la vie simple. Elle est l'amie de tous les animaux, à commencer par les chevaux. Très jeune, Sissi se montre une cavalière audacieuse, téméraire. Ses compagnons sont les chiens, les poules, les cochons ; ses amis sont les petits voisins ou ses frères et sœurs ; ils sont huit, les enfants de Max et de Ludovika, sœur du roi. Sissi parle au vent, entend le langage des sources, connaît la signification des nuages et considère les arbres comme

les plus fidèles sentinelles de ses rêves. Comme dans l'œuvre de Shakespeare, qu'elle appréciera, elle est l'héroïne d'un songe.

A Possenhofen, Sissi, princesse sauvage, apprend à aimer la liberté, et à la regretter lorsque les bourrasques de l'automne obligent la famille à regagner Munich. Le duc Max ne fait pas d'effort pour faire plaisir au roi son beau-frère, et paraître, tenir son rang. L'éducation que ses parents lui prodiguent — surtout son père — conduit Élisabeth à exercer ses responsabilités. On lui apprend à décider, à choisir, dans l'amour de la famille et le respect des vieux serviteurs.

Sissi a une passion pour son père. Elle ne comprend pas que sa mère lève les bras au ciel lorsqu'on lui rapporte que, au cours d'un voyage en Égypte, son mari s'est cru autorisé à jouer de la cithare au sommet... de la Grande Pyramide, celle de Khéops ! Ou à ramener de son périple des négrillons, trouvés dans le bazar du Caire, qu'il a l'intention de faire baptiser devant la bonne société munichoise stupéfaite ! Ce que Sissi revendique est, d'abord, une décontraction qui est l'apanage de la branche cadette des Wittelsbach, une

Le château familial de Possenhofen, sur les bords du lac de Starnberg. Il a été restauré et transformé en résidence.

Jamais Sissi, devenue impératrice d'Autriche puis reine de Hongrie, ne pourra se détacher de l'admirable décor des Alpes. Elle reviendra sans cesse, sous prétexte de voir sa famille, à la recherche des émotions pures et sans contraintes de son enfance.

Munich, capitale du royaume de Bavière, vers 1850. A la ville, à la vie officielle de cour, la princesse préfère l'existence près de la nature, affectionnant des joies simples et profondes.

sympathique liberté de ton et d'action, sans provocation ni mauvais esprit. N'étant pas sur le trône, le duc Max n'aime pas le protocole et ne goûte guère les uniformes ou les habits de gala. Sa fille sera, notamment dans ce domaine, son portrait. Mais, comme elle sera impératrice et reine, sa frénésie d'indépendance passera pour une malsaine désinvolture.

On se tromperait lourdement en croyant que Sissi n'est qu'une agitée, une écervelée une campagnarde analphabète. Au contraire. Sa gouvernante, la baronne Louise Wulfen, vite débordée, remarque qu'Élisabeth a l'âme poétique, exagérément romanesque. On peut penser qu'aux émotions, un peu factices, de son premier bal à la Cour — elle a 15 ans —, elle préfère celles éprouvées en essayant de dompter les mots que lui dicte son cœur. Elle aime se réfugier dans sa chambre. Elle médite sur la vie (déjà...) et sur la mort, ce qui est plus inquiétant.

Quel contraste entre une enfance si libre et la rigueur de préoccupations que beaucoup d'adultes n'auront jamais! Les poèmes de Sissi sont toujours tristes. L'un de ses premiers textes évoque une amourette contrariée pour un garçon qu'elle a rencontré. A cet âge, un amour est pur, donc définitif, et la souffrance qui l'escorte aussi, pense-t-elle. Car le garçon, éloigné, meurt. Bouleversée, la princesse a perdu toute sa gaieté, chassé sa spontanéité. Elle crie en silence, sur le papier, son chagrin :

Le sort en est jeté,
Richard, hélas, n'est plus!
Le glas sonne, Seigneur,
Ayez pitié de moi!

Un véritable appel au secours. Sissi, noyée dans un « spleen » précoce, vit confidentiellement dans le culte de la mort, encombrante compagne de sa famille. Et lorsque, en 1853, à la veille de retrouver ses cousins, en particulier François-Joseph, une deuxième mort survient près d'elle, quel accablement dans ses lignes :

Oh! Que ne suis-je morte aussi
Et au ciel, comme toi.

Élisabeth, sa mère le déplore, ne sait pas jouer convenablement du piano, mais elle sait souffrir, marquée par la réputation morbide des Wittelsbach, à l'âme exaltée. Mais n'oublions pas leur raffinement, leur esthétisme de princes mécènes qui en font des Médicis alpins. A ce bagage génétique, Sissi ajoutera une ironie glacée et une fantaisie séduisante. Il y a toujours une de ses tantes pour dire, en la regardant : « Cette petite ne sait pas présenter son verre pour tenir un toast! » Moins aveugle, la duègne s'apercevrait, par exemple, que lorsque Sissi marche, elle est littéralement aérienne. Son père lui apprend, au moins, cela. Il lui recommande : « On ne doit pas se traîner. On doit avancer comme si on avait des ailes. » Elle est un curieux mélange de gaucherie mondaine et de grâce naturelle. Un personnage féerique, évoluant dans une féerie.

Lorsqu'on se promène aujourd'hui dans Munich, on retrouve le décor de ce conte de fées, admirablement restauré après les graves destructions de la Seconde Guerre mondiale.

A l'époque de Sissi comme aujourd'hui, Munich est une capitale de la bonne vie et de l'art. Il n'y a pas que la bière, les fanfares, les cochonnailles, les gilets brodés et les blaireaux oscillant au flanc des chapeaux gris et verts. Il y a aussi l'opéra, et celui de la Cour, niché dans le palais de la Résidence, est une ravissante bonbonnière décorée par Cuvillès. On apprend à Sissi que Mozart y a donné une première de *la Flûte enchantée*. Il y a aussi la célèbre pinacothèque, l'un des plus grands musées du monde. Selon la volonté du roi Louis Ier, la collection d'œuvres rassemblées par les Wittelsbach doit être visible et admirée par ses sujets. Sissi apprend les vertus d'une monarchie simple, sans prétention, et le parc de Possenhofen est ouvert au public lorsque sa famille n'y réside pas. La princesse apprend également à aimer et à cultiver les vieilles légendes, les poèmes héroïques. Un de ses oncles, Maximilien, le père du futur Louis II, a entrepris de restaurer des ruines médiévales sur un éperon qui domine deux lacs, à la frontière autrichienne. Dans les brumes effilochées du printemps, cet émule de Viollet-le-Duc fait resurgir tout un passé peuplé de courageux chevaliers, d'animaux fabuleux, d'elfes pleins de malice, d'arbres qui avancent et de fleurs qui parlent. Sissi est entièrement, volontairement disponible pour ce rêve éveillé. Elle saura cependant s'en évader, à la différence de son fantasque cousin Louis II. Mais chacun de ses voyages à travers l'Europe la conduira à travers les émotions pures et sincères de son enfance.

A 15 ans, Sissi se contente de la nature qui, seule, paraît capable de satisfaire ses désirs. Mais le destin veut lui imposer l'amour, le devoir, la raison d'État, les bonnes manières. Souveraine de la forêt, adorable et déjà adorée, elle aimerait encore être bercée d'insouciance et prolonger le doux séjour dans sa jeunesse. Mais en 1853, à 16 ans, la catastrophe va fondre sur elle : on lui demande d'être mûre, de réfléchir, de faire attention, de ne pas rire afin de ne pas révéler ses dents jaunes. En bref, on lui demande de vieillir...

François-Joseph épouse sa jolie cousine en 1854. Souveraine de seize ans, Elisabeth règne sur 52 millions de sujets, répartis dans une quinzaine d'ethnies. Un rôle écrasant l'attend. Elle n'a qu'un désir : être auprès de son mari. La jeunesse de Sissi est un atout et un handicap.

L'Autriche ou l'impératrice révoltée

SCHÖNBRUNN

*D*ans la journée du 22 au 23 avril 1854, des guirlandes de lampions éclairent les allées du parc de Schönbrunn. Comme des milliers d'yeux attentifs, ces lumières vacillantes semblent scruter une jeune fille au bord de l'épuisement : Sissi, encore duchesse en Bavière pour quelques heures et qui sera, demain, la nouvelle impératrice d'Autriche en épousant François-Joseph. Elle a gagné Vienne après un voyage romantique de trois jours sur le Danube ; le fleuve-roi d'Europe centrale avait été réservé, par l'empereur, à sa future femme : aucun bateau en dehors de celui de Sissi n'avait été autorisé à naviguer...

D'emblée, sur la jeune princesse fatiguée, exaspérée par les premiers tours de vis du protocole, Schönbrunn fait mauvaise impression. Comme elle l'écrira plus tard, elle découvrait, à seize ans, sa première prison. La longue façade ocrée par le fameux «jaune Marie-Thérèse», ponctuée de volets verts, n'est pourtant pas laide bien qu'un peu austère. Les appartements qu'occupera Élisabeth marquent de rouge, de blanc et d'or le triomphe du rococo. La future souveraine est écrasée par la richesse des galeries, des cabinets de laque et de porcelaine, et par le poids des ombres de l'Histoire : Marie-Thérèse, fort attachée à ce palais qu'elle fit modifier au milieu du XVIIIe siècle, la jeune duchesse Antonia, sa fille, deve-

Ancienne résidence d'été de la cour d'Autriche, le château de Schönbrunn fut élevé, à proximité de Vienne, à la place d'un pavillon de chasse, comme Versailles. Voulue par l'impératrice Marie-Thérèse, la construction actuelle a été modifiée de 1743 à 1749, enrichie de massifs floraux et d'un parc magnifique. Sur le bateau qui, en 1854, conduit Sissi vers Vienne et son mari, François-Joseph a fait dresser des guirlandes de mille roses cueillies à Schönbrunn.

Le nom de Schönbrunn est dérivé de la «jolie source» (Schöner Brunnen) découverte par l'empereur Mathias, au début du XVIIe siècle et aujourd'hui située dans un petit pavillon qui ressemble à une grotte. Les fontaines agrémentent le parc.

Sur les pas de Sissi

La façade de Schönbrunn s'étend sur 180 mètres. L'harmonie du fameux «jaune Marie-Thérèse» est soutenue par le vert des volets. Commencé en 1695 par le célèbre architecte Johann Bernhard Fischer von Erlach, le château, d'abord modeste, fut remanié au XVIIIe siècle, d'après les plans de Nicolas Pacassi. Après 1945 et les ravages des bombardements, d'importants travaux de remise en état ont dû être entrepris.

nue la malheureuse Marie-Antoinette, reine de France ; Mozart, éblouissant la Cour de son génie impatient ; Napoléon, installant son quartier général au cœur même du prestige de ceux qui allaient former, bientôt, sa nouvelle belle-famille ; le Congrès de Vienne, qui dansait ici, dans la salle de bal de l'Europe ; l'Aiglon, adolescent diaphane, rendant le dernier soupir d'une vie étouffée...

Mais, comme François-Joseph est né ici, elle fait un effort pour chasser les souvenirs pesants. Hélas ! L'absence d'intimité de ce château annonce la rigueur de tous les palais officiels de l'empire où résidera Élisabeth. Et si le décor, somptueux, allie quelques lourdeurs à de subtils raffinements, c'est bien davantage l'atmosphère qui brime les élans de la princesse, tellement plus à l'aise dans ses forêts bavaroises. On ne doit pas omettre qu'à l'époque ce palais, véritable Versailles autrichien, compte 1 200 pièces, alors qu'on en visite, aujourd'hui, à peine 45, soit quelque 3 pour cent de la surface aménagée. Il faut, pour

comprendre, se représenter une Sissi éprise de son époux, aux joies d'un amour neuf et qui ne parvient pas à cacher son bonheur pour le vivre. Les volutes de stucs, les lustres de cristal, les fresques peintes et tapissées sont trop envahissants ; même les gros poêles de faïence blanche ressemblent à des sentinelles chargées de surveiller l'intruse. Car c'est bien en étrangère et en novice que sa belle-mère la traite, décidée à lui faire expier l'affront de ce mariage qu'elle n'admet pas. L'archiduchesse Sophie a huilé les engrenages du devoir. La journée commence, invariablement, par l'apparition de la première dame d'honneur, la comtesse Esterhazy-Liechtenstein. Impressionnant cerbère de salon, elle a quarante ans de plus que Sissi, ce qui est déjà beaucoup. Elle sait tout, voit tout, entend tout et, par conséquent, juge tout avant de le rapporter, avec une délectation pincée, à la mère de l'empereur.

Si l'on ajoute que la dame d'honneur est flanquée de deux acolytes, plus avenantes mais dis-

tantes, et que la vie est réglée plutôt par un registre des choses qui ne se font pas que par celui de ce qui est permis, on devine l'accablement physique et psychologique de Sissi, transplantée dans un monde hostile. La minutie des documents qu'on lui présente est telle qu'on y recense la courbure des génuflexions ! Presque le rythme des respirations !

Visitons Schönbrunn. Dans ce qui fut les appartements du couple, on est frappé par le style bourgeois qui rassure, avec son confort greffé sur la grandeur classique. Le décor d'un tardif Louis-Philippe autrichien — le fameux style Biedermeier — est en totale osmose avec le souverain. Cette simplicité s'exprime en murs tapissés de reps marron, en fauteuils recouverts de tissu à motif d'érable, en nécessaires de toilette sommaires. Sur la dizaine de pièces réservées à l'empereur et à l'impératrice (en début de visite), il convient de s'arrêter sur une curiosité de leur vie intime, leur chambre à coucher. Ici et seulement ici, on peut voir leur chambre commune. Dans le palais de Marie-Thérèse, Sissi parvient à faire triompher une révolution d'un modernisme inouï : elle peut partager la même pièce que son époux... La chambre est belle, emplie d'un mobilier sombre, en palissandre. Deux lits identiques, côte à côte, et deux armoires, également identiques, mais un seul prie-Dieu. Deux tableaux représentent chacun une «Sainte Vierge et l'Enfant», l'un au-dessus des lits, par Carlo Dolci, l'autre, à droite, par Guido Reni. Les murs sont tendus de soie bleue, posée dès 1854 et d'origine lyonnaise.

Malgré cette intimité que Sissi revendiquera toujours, l'impératrice conservera un souvenir cauchemardesque de ses débuts d'épouse. Il ne s'agit pas, directement, de sa nuit de noces, dont aucun récit ne saurait être produit. Il s'agit, en revanche, des commérages et suspicions dont elle se sent le sujet et l'objet. Tous les domestiques du palais obéissent à sa belle-mère, informée des secrets les plus délicats par ces espions à révé-

La Grande Galerie (43 mètres de long, 10 mètres de haut) abrite les banquets et les festivités de la Cour. Sous ces fresques, le Congrès de Vienne y préparera l'Europe d'après 1815. Les lustres sont garnis de soixante-douze chandelles chacun. C'est dans cette longue salle que, lors de son mariage, Sissi doit recevoir les hauts dignitaires de l'empire.

rences que sont les femmes de chambre. Selon les « témoignages » recueillis par l'autoritaire Sophie, la jeune fille ne devient une femme qu'au cours de sa troisième nuit, celle du mercredi 26 au jeudi 27 avril. Le bonheur vrai s'épanouit sans témoin, mais ce serait vivre sans protocole et, à Vienne, l'Étiquette, l'omniprésente « Madame l'Étiquette » régente même les pudeurs. Sissi aimerait demeurer seule, rêveuse, avec son mari. Mais non ! Le petit déjeuner avec toute la famille est rituel. A 8 heures, l'archiduchesse s'installe dans son rôle de belle-mère. Le lendemain du mariage et le surlendemain, ses regards sont insupportables ; elle se permet même des questions d'une invraisemblable franchise. Pour sa nièce, l'interrogatoire est odieux et une seule envie l'étreint, celle de fuir. Fuir, quarante-huit heures après ses noces ! Sa fuite serait de savourer son café sans sous-entendus. Après une brève hésitation, François-Joseph l'approuve. Mais sa mère lui signifie son mécontentement et l'empereur choisit une autre forme de fuite, ne discutant pas les arrêts de sa mère. Il revient chercher sa femme et lui demande de paraître, décente, à la table collective. De cet instant, date l'empoisonnement progressif et définitif des rapports entre celle qui reste la première dame de l'Empire et celle qui aspire à l'être. L'apparence l'emporte sur l'existence, la vie extérieure muselle la vie intérieure. Sissi l'écrira et son aveu donne la gravité de sa meurtrissure : « ...Le naturel, le simple disparaissaient sous cette pression. »

Exhibée, humiliée, Sissi s'assoit presque en larmes et sans appétit. Mais le pire arrive : François-Joseph se lève et disparaît dans le couloir qui conduit à son bureau. L'heure est aux affaires de l'Empire, le bonheur attendra. Trésor de spontanéité, Élisabeth se sent abandonnée, pour ainsi dire trahie. Elle va beaucoup souffrir. « C'est par amour pour lui que je l'accompagnai », dira-t-elle plus tard à l'une des dames d'honneur hongroises, évoquant ce petit déjeuner malheureusement inoubliable. Sissi fait le sacrifice de son intimité, mais elle ne pardonnera jamais à sa belle-mère ses allusions déplacées. En silence, elle forge sa révolte contre les conventions de la vie publique qui pulvérisent la vie privée.

A côté de leur chambre, elle fera aménager un salon, dit « de l'impératrice Élisabeth ». Les panneaux des murs sont tapissés d'un brocart de soie rouge. Cependant, à chaque encoignure, le souvenir des dames de l'illustre lignée est ostensible. Même dans ce salon « élisabéthain », les Habsbourg observent Sissi, elle en est certaine. Sur des pastels de Jean-Étienne Liotard, la progéniture de Marie-Thérèse est regroupée. Sissi n'est qu'une princesse rustique et la comparaison ne tourne pas à son avantage. Comment s'y retrouver dans les usages, parfois étranges, que personne n'ose discuter ? Ainsi, l'impératrice d'Autriche ne doit porter ses chaussures qu'une fois et les donner,

ensuite, à ses femmes de chambre. Ce qui veut dire que la souveraine de millions de sujets essaie les souliers de ses domestiques alors que les officiers de Sa Majesté font briser leurs bottes par leur ordonnance !

Mais il arrive que la continuité se réalise tout de même entre les générations. Dans la « chambre des enfants » (ceux de Marie-Thérèse), que le visiteur découvre après le salon de Marie-Antoinette, on peut admirer, sur la gauche et sous la protection d'un coffret en verre spécial, un secrétaire féminin, contemporain de l'épouse de Louis XVI. Ce curieux meuble, orné de médaillons Wedgwood en émail, de peintures sur verre et de bronze, fut, dans les années 1890, transporté à Corfou. Sissi l'avait placé dans son palais de Corfou, d'où il est revenu. Schönbrunn présente plusieurs centres d'intérêt. Je vous recommande de ne pas quitter cet endroit sans visiter le musée des Carrosses (Wagenburg), situé en parallèle aux jardins, sur la gauche quand vous achevez la visite des appartements. Quelques minutes de marche vous conduisent à la très importante collection de carrosses d'apparat, d'équipages, traîneaux, chaises à porteurs, coupés et corbillards de la cour d'Autriche, du XVIIᵉ au début du XXᵉ siècle. Cette visite (environ trente minutes : attention à l'horaire de fermeture qui n'est pas obligatoirement le même que celui du château) commence par la présence, sur votre gauche en entrant, d'un impressionnant véhicule funéraire. Ce corbillard

est celui qui, en 1916, transporta la dépouille de François-Joseph. Il gagna ensuite cette remise et devint un souvenir parmi d'autres. Mais, le 1ᵉʳ avril 1989, le corbillard reprit du service... pour les obsèques de l'impératrice Zita. On répara, révisa et nettoya cette voiture. Il fallut aussi — et cela était plus complexe — trouver les six chevaux noirs qui allaient tirer le lourd véhicule (1,8 tonne !), six chevaux qui obéiraient à un cocher alors qu'ils n'avaient pas l'habitude d'être réunis. La conduite d'un tel équipage soixante-treize ans après l'ultime voyage du mari de Sissi n'était pas simple, d'autant que le corbillard n'est pas équipé de vrais freins... On trouva. Et on vit ressortir ce monument roulant d'un autre âge qui fit le trajet de la cathédrale de Vienne jusqu'à la crypte des Capucins. Des centaines de milliers de Viennois et des millions de téléspectateurs garderont cette image insolite gravée dans leurs mémoires. Le corbillard est revenu et le silence s'est, à nouveau, emparé de lui. Mais une photographie en noir, simplement bordée d'un crêpe de deuil, a été apposée contre lui. C'est un portrait de Zita et il arrive qu'un touriste se demande qui peut bien être cette digne vieille dame... Parmi les autres voitures, un phaéton de Sissi, discrètement aux armes, et le magnifique carrosse du couronnement, tiré par huit chevaux blancs et qui, à l'occasion des cérémonies de 1867, à Budapest, avait été démonté et transporté par chaland sur le Danube.

Élisabeth, duchesse en Bavière, peu après être devenue l'impératrice d'Autriche. Elle a près de dix-huit ans... Dans la galerie des Empereurs, longue de 196 mètres, de l'abbaye de Melk, Sissi, encore figée, a pris place aux côtés des hautes figures de la dynastie.

Le palais aux 1 200 pièces est riche d'émouvants souvenirs : l'enfance de Marie-Antoinette, le prodigieux Mozart qui stupéfie le monde, le quartier général de Napoléon, la mort de son fils, les jeux de l'archiduc Rodolphe, dernier prince héritier ayant utilisé le petit jardin sur la gauche du château.

Le premier jardin à la française de Schönbrunn date de 1693. Le somptueux parc, qui mêle l'antique au rococo, est tracé par le Viennois Ferdinand de Hohenberg ; de 1773 à 1781, il édifie charmilles et parterres, sculptures mythologiques et fontaines, et même une « ruine romaine ». Il conçoit aussi la célèbre gloriette, au sommet d'une butte d'où la vue est belle.

Page précédente : François-Joseph peu après son mariage. Il n'a pas vingt-cinq ans. Ce tableau est situé dans la galerie des Empereurs de la magnifique abbaye de Melk, joyau du baroque, qui domine le Danube en Basse-Autriche.

LA HOFBURG

Chronologiquement, la Hofburg (palais de la Cour) peut être considérée comme la seconde « prison » de l'impératrice. L'immense résidence impériale, véritable ville dans la ville et qui fut la demeure favorite des Habsbourg, apparaît comme un dédale de couloirs, de cours intérieures et d'escaliers sombres. Agrandie sans cesse depuis la fin du XIIIᵉ siècle, l'antique forteresse a subi l'empreinte visible des souverains successifs dans un style sévère mais solennel. Ce qu'on nomme les « appartements impériaux » concerne ceux de François-Joseph et de son épouse. Aménagés au premier étage, ils emplissent l'aile de la chancellerie et l'aile Amélie, les deux formant un angle droit. On aura une idée de la dimension et de la complexité architecturale de la Hofburg si l'on sait que ces appartements proposent au visiteur une vingtaine de pièces... sur deux mille six cents !

C'est surtout à dater de la fin de l'année 1857 que le couple y réside, pendant l'hiver, après que d'importantes transformations eurent été entreprises, en accord avec la décision de François-Joseph, de raser les anciennes fortifications édifiées contre les Turcs. Vienne se modernise, la Hofburg aussi.

L'organisation actuelle de la visite est contrainte, depuis 1988, de respecter des impératifs de sécurité. Il a fallu installer des cordelières et regrouper le mobilier au-delà, sur la droite dans le sens de la marche, de sorte que la disposition n'est plus conforme à ce qu'elle était lorsque le souverain y dirigeait son empire, de 1858 à 1918.

Ainsi, dans la chambre d'audience, le pupitre sur lequel est posé le registre des visiteurs d'un jour de 1910 se trouvait près de la fenêtre ; en effet, François-Joseph, qui recevait toujours debout, se tenait-il près du grand livre, le dos à la fenêtre, les mains croisées. Ainsi encore, le splendide portrait ovale de son épouse — qui orne la couverture de ce livre — se trouvait-il dans le bureau de son mari et non dans une des pièces réservées à Sissi où sont, aujourd'hui, rassemblés des souvenirs de son assassinat.

La découverte des appartements impériaux commence par quelques pièces très peu meublées. Ainsi, la salle des Trabans, ou salle des Hallebardiers, est celle où, jadis, un sous-officier de la garde personnelle de l'empereur, un Traban, était là, jour et nuit. La porte du fond ouvre sur un escalier par lequel Joseph Iᵉʳ accédait à ses appartements, au début du XVIIIᵉ siècle.

Au cours de la visite, on constatera la présence de l'impératrice en de nombreux endroits alors

que, vivante, elle fuyait ces enfilades interminables de couloirs lambrissés. Deux de ses plus fameux portraits sont à la mesure de leur réputation, tous deux peints par Franz-Xavier Winterhalter, l'illustrateur recherché des cours d'Europe. Le premier est accroché dans la salle de conférence où François-Joseph préside le conseil de ses ministres. Sissi resplendit en une apparition sublime. Peinte en 1865, l'œuvre est conçue comme une composition officielle avec une colonne au fond, élément du décor classique d'un décor non moins classique. Sissi, romantique, beaucoup moins guindée que sur ses premiers portraits officiels — onze ans ont passé —, est dans la plénitude de sa beauté. La beauté du visage et celle de son attitude. On dirait que, hélée par une voix familière, la souveraine vient de se retourner ; le mouvement est souple, dégageant de magnifiques épaules. La longue silhouette est pailletée d'étoiles de la tête aux pieds. Dans ses cheveux, neuf diamants étoilés, dus à Köchert, le joaillier de la Cour, font d'elle la souveraine aux étoiles. Winterhalter a rarement été aussi bien inspiré, restituant aussi les frémissements du tulle pailleté de la robe, dont la mode a été lancée à Paris après 1860. L'éventail à demi ouvert, Élisabeth paraît acquiescer aux compliments de ses admirateurs.

Dans le cabinet de travail de l'empereur, le deuxième tableau par Winterhalter n'a jamais quitté cet emplacement. Il est de facture plus intime, le protocole en est absent. Sissi, ses longs et admirables cheveux dénoués, porte un regard perdu vers une clarté nocturne. Ce n'est plus l'impératrice, mais la femme, et l'œuvre est, avec une troisième, propriété d'un particulier qu'on ne voit pas ici, destinée initialement aux seuls regards de l'empereur.

Dans le bureau de François-Joseph est accroché l'un des plus célèbres tableaux de l'impératrice, peint par Winterhalter en 1865. Il n'a jamais quitté cette pièce. Le chambellan de l'empereur se tenait derrière, dans l'une des pièces de service, équipée d'un téléphone portant le numéro 61.

La Hofburg ou palais impérial : les appartements de François-Joseph et de Sissi, au premier étage, se trouvent respectivement à droite, dans l'aile de la Chancellerie, et à gauche, dans l'aile Amélie.

La salle à manger de la famille impériale. Longtemps dressée dans la dernière pièce que l'on visite, déménagée pour des raisons de sécurité, elle expose vingt-quatre couverts. Seuls les proches et officiers ou dignitaires de haut rang pouvaient y prendre place. On remarquera que le couvert est mis entièrement à droite, selon le protocole espagnol. Chaque convive dispose d'une carafe à vin et les carafes à eau sont pour deux. Les repas ne durent guère longtemps, mais François-Joseph tient à ces réunions qui permettent à la famille de se retrouver. Élisabeth, dont le régime alimentaire maniaque la conduira jusqu'à l'anorexie, scandalise sa belle-mère en demandant à boire... de la bière au lieu des vins bouquetés. En dehors des crus nationaux et régionaux, elle apprécie le vin de Bordeaux et le champagne.

Cette silhouette élégante et fantomatique sous les lambris de la Hofburg est une magnifique statue de l'impératrice qui semble attendre le Destin. On remarque ce que toute la cour de Vienne commentait : les anneaux de sa salle de gymnastique qu'elle avait fait installer, malgré les protestations de sa belle-mère et tante. A l'extrémité de ses appartements, Elisabeth dispose d'un escalier discret par où elle entre et sort sans trop attirer l'attention. La statue met en valeur la légendaire minceur du tour de taille de l'impératrice (moins de 55 centimètres !) qui suit un régime draconien la conduisant vers l'anorexie.

Sur les pas de Sissi

L'imposant palais met en valeur la coexistence de la vie officielle et de la vie privée. La distinction entre les appartements publics et les pièces personnelles est, en réalité, diffuse, incertaine. On parle, ici, davantage des appartements de l'empereur d'une part, de ceux de l'impératrice d'autre part, en précisant que cette dénomination concerne François-Joseph et son épouse car à d'autres époques, d'autres souverains ont donné leur nom à telle ou telle partie du château. Une certaine progression protocolaire est observée au fur et à mesure que l'on avance. Ce qu'on appelle, improprement, la salle d'audience est, en réalité, une vaste antichambre où, deux fois par semaine, les personnes ayant obtenu une audience du souverain viennent attendre leur tour et préparer leur demande ou leur remerciement. C'est l'aide de camp qui les annonce mais le chambellan a mission d'ouvrir la porte du bureau où se tient François-Joseph.

Aménagés dans l'aile Amélie, qu'on atteint après un angle droit sur la gauche, les appartements de Sissi réservent quelques surprises. Comment peut-on comprendre que dans ce palais aux centaines de chambres, l'impératrice ne dispose pas d'une chambre pour elle seule ? Chaque soir, dans son grand salon, on apporte son lit en fer, peint en marron, le même que celui de son époux. Et, au matin, le lit disparaît par les portes du fond. Un goût de la simplicité et, sans doute, une manière pour Élisabeth de faire savoir qu'elle n'est que de passage... Ce campement, d'une somptueuse rusticité, contraste avec l'installation d'une salle de gymnastique à la place de l'ancienne chambre commune du couple et d'une salle de bains, malheureusement interdite à la visite, équipée d'une imposante baignoire métallique au milieu d'un décor fantastique et fleuri, d'allure XVIIIe siècle.

Soucieuse d'hygiène, maniaque de culture physique, l'impératrice est ravie de choquer les duègnes de la Cour par ses audaces domestiques. Elle ose prendre un bain chaque jour, ce qui est un signe évident d'anarchie ! Et quand elle annonce qu'elle boirait volontiers de la bière à table, sa belle-mère manque défaillir : « Sissi se

croit-elle dans une taverne bavaroise ? » Elle aggrave son cas en accrochant aux murs de sa salle d'exercices plus volontiers les portraits de ses chevaux que ceux des membres de sa famille... La répulsion de Sissi à l'égard du palais est claire.

C'est dans ses appartements que l'impératrice parviendra, difficilement, à supporter sa vie. Là, elle peut se dispenser de jouer complètement son rôle. Il n'est, certes, guère supportable de songer, chaque matin, que des dizaines de personnes, apparentées aux grandes familles, peuvent à tout instant entrer chez elle, après une brève demande. Et l'un de ces matins, l'impératrice, rentrée de sa promenade équestre au Prater — où les hommes guettent son passage et se découvrent —, Sissi, après ses ablutions, convoque son lecteur de grec. Pendant qu'on lui lit les mésaventures des Troyens engagés dans leur guerre désastreuse, la souveraine s'exerce à ses barres d'agrès — il y en a onze — ou se suspend à ses anneaux qui pendent, avec défi, au milieu de son long couloir. Survient une dame d'honneur, sous un prétexte mineur. Sissi ne se dérange pas, c'est elle qu'on dérange... Vêtue de noir, elle a l'air, selon la digne dame scandalisée, d'un oiseau étrange accroché à quelque arbre exotique ! Éli-sabeth est prête à recevoir mais à ses conditions et comme cela lui plaît ! Ce genre d'attitude lui attire des critiques à peine voilées. La Cour la considère comme une sorte d'étrangère à l'empire. Sissi s'en moque. Elle aggrave son cas en sortant faire des courses seulement accompagnée d'une de ses fidèles suivantes, ou bien prépare un nouveau voyage. La révélation de ses déplacements conduit même la presse à signaler qu'au cours d'une année, l'impératrice s'est absentée 260 jours de Vienne... Circonstance accablante : elle préfère être à Budapest, dans le parc du château de Gödöllö.

C'est ici, pendant les deux dernières années de la Première Guerre mondiale, que l'empereur Charles Ier et son épouse Zita recevaient et suivaient l'évolution de la situation politique et militaire. Des portraits et des bustes du dernier couple impérial soulignent la montée des angoisses et des périls qui ont fini par abattre la vieille monarchie. Les fauteuils rouges répondent aux tapisseries du XVIIIe, exécutées d'après des cartons de Boucher. Sur la gauche, on distingue une ouverture : elle conduit à l'escalier privé de Sissi, dit Adlerstiege (escalier de l'Aigle), par où elle aimait disparaître. Élisabeth ou la femme pressée de s'enfuir...

Un buste en bois de la jeune princesse bavaroise, à l'âge de 12 ans, sculpté par Anton Fernkorn. Il est posé sur le bureau de son cabinet de toilette, ancienne chambre commune des souverains. La pièce est équipée d'agrès pour la culture physique. Au mur, des gravures de ses chevaux et de ses chiens favoris. Dans le fond à gauche, une porte s'ouvre sur une pièce où est installée la baignoire de l'impératrice (on ne visite pas la salle de bains) qui faisait scandale en décidant de prendre un bain quotidien...

Dans les appartements de François-Joseph, cette miniature de porcelaine représente le jeune couple, peu après le mariage, en 1854.

KAISER VILLA

Dans les nombreuses résidences de la famille d'Autriche, la Kaiservilla (villa impériale) tient une place particulière. La visite en est très émouvante car la demeure, simple, est le reflet exact des joies profondes de François-Joseph et de Sissi. Nichée dans un superbe décor naturel, la maison fait triompher la vie de famille et l'amour de la nature. Le touriste qui visite la région de Salzbourg, bercé par le génie de Mozart, n'est pas assez informé de l'intérêt que présentent, à une quarantaine de minutes à peine, la charmante cité de Bad Ischl et la villa impériale ; cette maison de campagne, toujours propriété privée mais dont une partie, fort riche de souvenirs, est ouverte au public, appartient à un arrière-petit-fils de l'empereur, S.A.I.R. l'archiduc Marc de Habsbourg-Lorraine.

La région, marquée par le commerce du sel depuis la conquête romaine — la précieuse monnaie d'échange a forgé le mot Salzbourg —, connaît, au début du XIXe siècle une nouvelle réputation : grâce aux travaux d'un médecin, le Dr Wirer, les vertus des eaux d'Ischl suscitent un engouement durable parmi les grandes familles, notamment la dynastie impériale. L'action des eaux sur la fécondité fait courir un bruit sur les naissances consécutives à des séjours réguliers : on parle des « princes du sel » et François-Joseph aurait été conçu dans ce climat scientifique et mondain.

Tout naturellement, Ischl-les-Bains est choisie, à l'été 1853, comme lieu de rencontre des cousins, frères, sœurs d'Autriche et de Bavière. Véritable convocation de famille, ces retrouvailles ont pour but l'annonce des fiançailles de François-Joseph avec sa cousine Hélène, dite Néné. Mais, comme l'on sait, par un spectaculaire acte de désobéissance filiale, l'empereur préfère Sissi à Néné. Son coup de foudre pour Élisabeth durera toute la vie, alors que la très jeune princesse sauvage n'était venue que pour faire de la figuration, par alibi...

Lorsque l'année suivante, en 1854, François-Joseph épouse Sissi, l'archiduchesse Sophie leur fait cadeau de cette villa qui n'est pas encore qualifiée d'impériale et qui est plus modeste qu'aujourd'hui. A Bad Ischl, la mère, belle-mère et tante abandonne le poids, pesant, de son influence. Ce sentiment de liberté permettra à Élisabeth d'aimer cette demeure et d'y venir volontiers. D'importants travaux vont lui permettre d'aménager des pièces à son goût et d'y passer la belle saison avec ses enfants. Fort attaché à la maison, l'empereur y séjournera soixante étés de sa longue vie.

Le premier charme de la villa, élevée sur la rive gauche de l'Ischl, est son site, puis l'hommage qui y est rendu à la chasse. Le corps central, d'allure palladienne, montre une colonnade à l'antique qui honore le gibier, très abondant dans ce pays de forêts, de rivières et de lacs. Enfant, François-Joseph participait aux battues organisées par son père, l'archiduc François-Charles ; à treize ans, il avait tiré son premier gibier et le montrait fièrement. Adulte, il trouve dans la chasse et les randonnées qu'elle implique une joie et une détente appréciables. Les paysans sont, d'ailleurs, heureux de voir l'empereur vêtu du costume traditionnel, si bien conçu et si agréable pour la vie locale. A la chasse, l'empereur convie les gens qu'il estime, notamment ses beaux-frères (Charles Théodore, Louis, Mas Emmanuel, frères de Sissi) et, plus tard ses gendres (François-Salvator et Léopold de Bavière).

La seconde caractéristique de la demeure se place dans le digne mépris que ses occupants montrent à l'égard du confort, dit moderne, dans les années 1880-1900 même si, çà et là, une sonnette électrique ou un ventilateur attestent l'évolution technique du monde.

A Ischl, Sissi et son mari se sentent vraiment chez eux. L'existence est sans complications, les êtres proches les uns des autres, sans doute vivifiés par un environnement des plus agréables, échappé des opérettes délicieuses de Franz Lehar, autre gloire de la petite ville. On y voit les souverains détendus, avec enfants puis petits-enfants, poursuivre la tradition d'une saine villégiature.

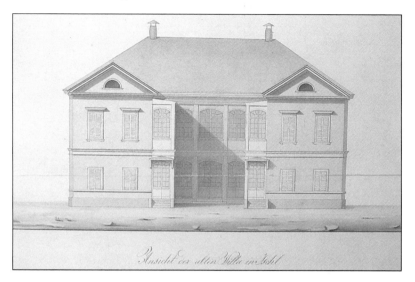

La Kaiservilla. En haut, lors des fiançailles de Sissi. En bas, après les travaux d'agrandissement, lorsque l'archiduchesse Sophie, mère de l'empereur, lui eut fait cadeau de cette demeure. Au centre de la fontaine, un dauphin, l'un des animaux favoris de Sissi.

Un encrier, des plumes et un coupe-papier pour la souveraine qui écrit aussi des poèmes. Les cartes de visite (ici en français) soulignent la double monarchie.

Le séjour de ces hauts personnages comprend, presque toujours, une excursion en montagne, souvent une chasse et un dîner de gala, en général servi au rez-de-chaussée, dans la vaste salle d'entrée où débute la visite et dont les murs sont recouverts de trophées. On en comptera des centaines dans la maison, véritable musée de la chasse. De l'ours au chamois — l'empereur en a tiré deux mille ! — en passant par une discrète belette, la vocation de la résidence est très soutenue.

Après l'entrée, la visite des quinze pièces se poursuit par l'escalier principal ; ses vingt-huit marches sont éclairées par une verrière. La rampe en bois rencontrant les vases de marbre, on ressent le caractère intime de la maison ; un aigle déploie ses ailes, impressionnant trophée des Alpes. Au premier et unique étage, la galerie au plafond surbaissé qui sépare le salon gris (ou salle à manger), à gauche, du salon rouge, à droite, était jadis pourvue de doubles rideaux qui isolaient les pièces.

Le salon gris, vaste pièce de dix mètres sur dix, est transformé, sans manières, en salle du Conseil des ministres lors d'un séjour de l'empereur. Dans cette même salle, tôt le matin, à 6 heures, Sissi et son mari se font servir leur petit déjeuner, souvent pris sur la terrasse. Les seize chaises cloutées et marquetées d'un dauphin (l'un des animaux favoris de l'impératrice) pourraient provenir de sa résidence de Corfou. De cette terrasse, Élisabeth peut contempler, sur la droite, les flancs boisés du Jainzen, sa « montagne magique » où elle aime faire sa gymnastique en secret, en pleine nature...

Parmi les rites heureux, je citerai l'anniversaire de l'empereur, le 18 août, qui est célébré avec un faste campagnard, dans une atmosphère d'affection et de respect populaire.

La présence régulière de la famille rejaillit sur l'importance, l'économie et toute la vie de Bad Ischl. Un certain progrès en découle dont la dynastie profite. Ainsi, longtemps, le voyage depuis Vienne fut long : des heures de cheval et une traversée de lac en bateau. Le 19 juin 1879, Sissi, François-Joseph et leur dernière fille, Marie-Valérie, inaugurent la liaison ferroviaire directe Vienne-Ischl ; la ligne secondaire est enfin raccordée à la voie Vienne-Linz-Salzbourg qui, d'ailleurs, est exploitée par la Compagnie des chemins de fer de l'impératrice Élisabeth. Un salon d'honneur est même aménagé dans la gare, long chalet voué aux communications améliorées. On y accueillera diverses personnalités, le président américain Ulysses S. Grant, l'impératrice des Français Eugénie, le nonce apostolique, le prince héritier Guillaume de Prusse, le roi d'Angleterre et d'Irlande S.M. Édouard VII.

Dans un équipage conduit par le grand écuyer de la Cour, le comte Grünne, François-Joseph et Sissi font leur première promenade de fiancés, le 21 août 1853. La scène, qui se situe dans les environs de Bad Ischl, est fixée sur un tableau exposé au musée des Carrosses de Schönnbrunn.

La charmante ville de Bad Ischl, au milieu du siècle dernier. Les propriétés des eaux, analysées par le Dr Wirer, en 1820, en font une station thermale fréquentée par la famille impériale et le Gotha.

Sur les pas de Sissi

Les trophées dans l'escalier qui conduit au premier étage.

Malgré la simplicité de la vie à la Kaiservilla, François-Joseph y reçoit souverains et hautes personnalités. Ici, le 15 juillet 1907, dans la salle des trophées du rez-de-chaussée, il donne un grand banquet en l'honneur du roi d'Angleterre, Edouard VII.

Le salon gris, au premier étage, servait aussi de salle à manger et de salle de conférences entre les ministres de l'empereur. Le surtout en argent, qui honore différentes résidences impériales, est un cadeau de Marie-Valérie, fille cadette de Sissi et de François-Joseph, pour le soixante-dixième anniversaire du souverain, le 15 août 1900.

Une vue du parc de la terrasse qui prolonge le salon gris. C'est ici, lorsque Sissi est à la villa, qu'est servi le petit-déjeuner, à 6 heures du matin.

Avançons sur la droite. Voici le bureau de l'impératrice, tissé de brocart grège. Dans cette pièce, petite, Sissi a rassemblé quelques amours de sa vie avec un choix qui étonne toujours : sa fille favorite, Marie-Valérie, est présente en photographies sur le paravent de gauche, seule, avant son mariage ; sur le paravent de droite, elle est avec son mari, l'archiduc François-Salvator qu'elle épouse à Ischl en 1890. Élisabeth honore ses parents (au fond, à droite) comme ses chevaux favoris, «Primrose», en 1873 et, à gauche, «Jackson», vainqueur en 1871, à Pest, du prix de l'Empereur. Le petit bureau avec repose-pieds est modeste, fleuri de roses artificielles. Un rouge-gorge, peut-être surgi un matin de printemps par la fenêtre ouverte, égaie le bois simple. La chaise est montée sur de discrètes roulettes.

En face du bureau, après avoir traversé le salon gris, le visiteur peut se recueillir devant la chapelle privée de la famille. Le bleu du mur est obtenu par un travail direct sur la pierre. Six personnes peuvent prendre place sur les prie-Dieu individuels ou doubles, brodés de fleurs. Le catholicisme connu de la Maison de Habsbourg-Lorraine est trop fervent pour qu'il soit nécessaire d'insister mais il faut se souvenir que François-Joseph est également roi apostolique de Hongrie (à partir de 1867) et qu'il dispose d'un droit de veto à l'élection du pape. Sur la droite de l'oratoire, on aperçoit un mouchoir brodé au chiffre d'Élisabeth, surmonté d'une couronne impériale ; c'était celui de Sissi le jour de son mariage. En

dessous, sous un coffret de protection, le coussin rouge et or sur lequel a reposé la tête de l'impératrice après sa mort à l'hôtel Beau-Rivage, à Genève. On distingue les scellés apposés par les fonctionnaires de la ville et la signature de membres de l'équipage ayant participé à la tentative de sauvetage de l'impératrice blessée, mais qui avait eu la force de monter sur le bateau : MM. Mathys, officier mécanicien, Cavrin, caissier, Vallon, contrôleur, Negemond, timonier, et Céré, chef de cuisine, le tout enregistré par l'administration genevoise avec un «timbre ordinaire de trente centimes». Ce document, cacheté de cire rouge, provient du papier à lettres de la C.G.N. (Compagnie générale de navigation) dont le bateau *Genève*, sur lequel Sissi avait embarqué, était une belle unité. La date, fatidique, de la mort de l'impératrice (10 septembre 1898) est rappelée, à gauche de l'autel, par le bouquet de fleurs séchées, conservées sous verre, dans un cadre à fond velouté bleu-nuit.

En gagnant le salon rouge, le visiteur entre dans la pièce vaste (11 × 8 mètres) où François-Joseph recevait les délégations et les hautes personnalités, surtout après la mort de Sissi. Ici, en juillet 1906, l'empereur d'Autriche a accueilli la veuve de l'empereur des Français, l'impératrice Eugénie. L'ancienne souveraine, qui vient d'avoir quatre-vingts ans, et François-Joseph se connaissent bien. Au début de mai, il lui avait adressé une lettre personnelle pour lui souhaiter un bon anniversaire ; elle en avait été si émue

qu'elle lui avait promis de répondre à son invitation et de passer par Bad Ischl. Une certaine communauté de destin — la perte de leur fils unique et leur veuvage — était un facteur de rapprochement. Accompagné de Marie-Valérie, l'empereur avait envoyé le train impérial à la rencontre d'Eugénie. Le séjour est ensuite marqué par une excursion et un fastueux dîner. Le 14 juillet, Eugénie, bouleversée par la manière charmante et pleine d'égards dont elle a été reçue, repart sur les routes de l'exil. En France, elle n'est plus qu'une vieille dame qui, parfois, s'échappe d'un peuple de fantômes, ceux de l'autre siècle... Eugénie et François-Joseph ne se reverront pas.

Initialement, ce salon est celui de l'impératrice Élisabeth et il conduit à sa chambre (qu'on ne visite pas : elle fait partie des appartements privés de l'actuel propriétaire). Cinq hautes fenêtres et un balcon ont vue sur les remous de l'Ischl, qui coule en bas. Le parquet en losanges supporte un mobilier de soie rouge tandis que les longs rideaux se reflètent dans deux miroirs, ovales et dorés. Sissi, comme toujours, fait triompher la Liberté et la Nature dans le choix de ses grands tableaux représentant des chevaux, des montagnes, des torrents et une scène d'auberge vue par une peintre ayant travaillé à Munich en 1890, Christian Maly.

Un paravent à cinq panneaux divisés chacun en huit parties déroule une sorte de « bande dessinée » des temps heureux : c'est le long cortège de tous les métiers qui ont défilé à Vienne, en 1879, devant Sissi et François-Joseph pour leur jubilé ; ils fêtaient vingt-cinq ans de mariage.

En suivant le couloir qui relie quatre pièces, on passe d'abord dans la salle d'attente réservée aux dames qui ont obtenu une audience du souverain. Le plafond, peint à la main, était autrefois en harmonie avec l'ancienne décoration. On remarque deux très beaux cabinets, l'un chinois (époque Ming), l'autre japonais, ainsi qu'un troisième meuble qui a demandé, lui aussi, une longue patience : c'est un cadeau offert par un maître d'école autrichien qui avait travaillé... onze ans et utilisé trente essences différentes de bois pour réussir ses incrustations. Le petit salon, dit salon aux chevaux (5×3 mètres), tendu de vert, rassemble, selon la volonté de Sissi, vingt-sept tableaux de coursiers, dont six avec leur palefrenier. L'impératrice honore « Avolo », « Brand » et « Errand Boy ». Elle unit même sa frénésie équestre à la superstition dans le fer à cheval-calendrier, dû à Julius von Blaus (1881) qui indique l'heure et les jours en français. Ce calendrier s'arrête à la fin du siècle, comme si une époque devait disparaître avec la mort de Sissi...

Le salon aux chevaux sert, en quelque sorte, à départager les visiteurs puisqu'il ouvre sur le salon d'audience réservé aux hommes. On peut

Le cabinet de travail de l'impératrice. Sur le paravent, des photos de sa fille Marie-Valérie, avant son mariage en 1890, célébré à la villa. Une pièce petite, intime, meublée simplement.

Contre-champ de la photo précédente : par sa fenêtre, Sissi peut voir le parc et les montagnes où elle aime se promener seule.

Un détail de la cheminée. Dans le miroir, des gravures et peintures de chevaux.

y voir, entre les fenêtres, le portrait d'un gendre de l'empereur, le prince Léopold de Bavière. Une curiosité : l'énorme «corne à boire», superbe corne de bœuf de Hongrie, sertie d'argent, cadeau des dignitaires magyars à celui qui est aussi leur roi. Enfin, on passe par la salle d'attente des ministres lorsqu'ils arrivent de Vienne, dérangeant la vie simple de la villa en rappelant que les affaires de l'Empire ne prennent jamais de vacances.

Ici, deux souvenirs doivent être retenus particulièrement. L'un est un buste de l'impératrice âgée de quarante ans et qui est, depuis quatre ans, une séduisante grand-mère ; l'œuvre est due à Stephen Schwartz, un artiste viennois, auteur de nombreuses médailles. L'autre est un tableau représentant la bataille de Vicence qui, en 1848, a vu la capitulation du général italien Durando et la victoire autrichienne. Un glorieux souvenir de l'Empire en Italie du Nord mais qui devait ensuite tourner au désastre par la perte de la Lombardie et de la Vénétie, «mes plus belles provinces», selon François-Joseph. Dans cette catastrophe, Sissi, son charme et sa sensibilité aidant, avait échappé à la haine répandue contre les Habsbourg.

Enfin, au bout du couloir, on parvient dans la pièce politiquement la plus importante de la villa impériale. Là, dans le bureau de l'empereur, s'est joué le destin de l'Europe ; là a été décidée sa mort... La pièce (7×5×0,50 mètre), tendue d'un papier soyeux bleu, est meublée de rouge, en style Biedermeier car, sans doute, ce choix était inévitable. Le silence de ce bureau révèle que le

temps s'est arrêté, le temps d'un autre monde puisque l'on peut constater que le fauteuil de repos est au même endroit qu'en 1910. Ici, François-Joseph est à ses dossiers dès 4 h 30 le matin, après avoir respiré l'air de la nuit sur le petit balcon, le seul de la façade. On comprend que cette discipline horaire, digne du soldat qu'il est dans l'âme, conduise le monarque à s'assoupir, au cours d'une sieste rituelle, sur son fauteuil à roulettes, en cuir (face au visiteur, à droite de la fenêtre). Les traces d'usure sont visibles sur les accoudoirs et à l'endroit où reposait sa tête.

Que voit-on autour ? rien de clinquant : des brevets militaires, des images de troupes passées en revue, une photo du père de François-Joseph en chaise à porteurs, quatre pipes sur un râtelier de bois et de porcelaine, des chopes de bière en cristal, deux nains en plâtre sortis d'un conte de Grimm et un ventilateur à six pales, construit par Siemens. L'appareil est à rapprocher de l'allume-cigare et de la sonnette sur le bureau qui glorifient l'arrivée de l'électricité à la villa, en 1890.

Sur la cheminée, à gauche, les quatre chandeliers avec lances et casques entrecroisés composent de vrais bivouacs métalliques. L'empereur-soldat est en campagne, rêvant peut-être à la gloire, cadencée par Johann Strauss, du maréchal Radetsky, entré vainqueur dans Milan.

Sur le bureau lui-même, Sissi est là, en buste, au moment de ses fiançailles, alors qu'elle n'a pas seize ans. Elle a glissé un porte-bonheur dans la sonnette qui appelle l'aide de camp : le bouton est inséré dans un bloc d'albâtre et complété par

Une corne de bœuf pour boire de la bière, cadeau des Hongrois.

Un talisman de Sissi : ce fer à cheval calendrier.

Les jumelles de théâtre de Sissi, en ivoire.

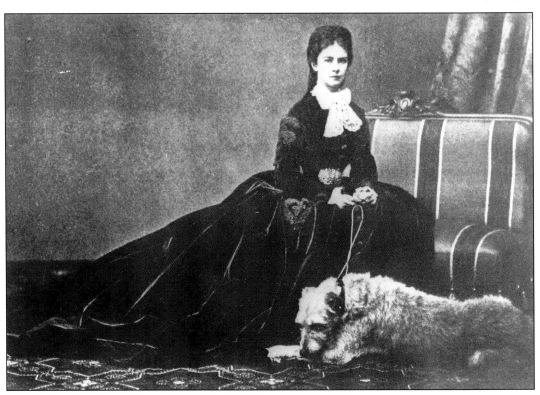

un fer à cheval et un trèfle à quatre feuilles. Ces talismans n'ont pu conjurer le malheur qui a fondu sur l'Europe. Après l'attentat de Sarajevo (28 juin 1914), François-Joseph adresse un ultimatum à la Serbie, considérée comme responsable de la mort de son neveu, François-Ferdinand. Les nations, enchaînées par le jeu des alliances, veulent en découdre. Pourtant, pendant un mois, dynasties et chancelleries, ministres et chefs d'état-major retiennent leur souffle. Et puis, sur un point — un seul point de l'ultimatum qui en comporte vingt-quatre... —, la Serbie rejette le document autrichien. Nous sommes le 28 juillet 1914 et, sur ce bureau, l'empereur d'Autriche et roi de Hongrie signe la déclaration de guerre. L'Europe s'est accordé un mois de répit avant de se déchirer. Deux jours plus tard, le souverain quitte Bad Ischl, accompagné par l'hymne impérial « Gott erhalte », dont les paroles sont inscrites sur le bureau. Il ne reviendra pas, il ne reverra pas sa chère villa où il a fêté soixante anniversaires au milieu de ceux qu'il aime.

Maniaque de la précision, entouré de thermomètres, de baromètres et de thermogyroscopes (notamment sur son balcon, à gauche), le vieux monarque a-t-il vu venir l'orage européen qui allait noyer l'Empire dans la défaite ? Sissi, en tout cas, répète, dans les années 1885-1890, que le drame, un jour, éclatera dans les Balkans. Elle est moins aveugle que les diplomates et les généraux, acharnés à se détruire.

Jouxtant le bureau, la chambre est d'une réelle modestie (5,50×5 mètres). La pièce qui, en retour,

Détail d'un miroir du salon rouge ou salon de l'Impératrice. Il était, la plupart du temps, réservé aux dames qu'elle recevait. Le paravent illustre les fêtes données à Vienne et le grand défilé qui célébra les noces d'argent du couple impérial, en 1879. Dans ce salon, l'empereur, veuf, reçut, en juillet 1906, l'impératrice Eugénie.

Page précédente : Son chien « Shadow » (« Ombre »), un airedale irlandais. Effectivement, il la suit partout. Elle pose avec lui chez Angerer, le photographe de la Cour, après 1860.

conduit vers d'anciens appartements non aménagés (on ne visite pas), est meublée sur le modèle des chambres de jeunes officiers en garnison. Un lit en fer suffit à l'empereur ; il y dort jusqu'à 3 h 30 du matin, heure à laquelle le valet apporte un genre de bassin-baignoire. On ne comprend pas, ici comme ailleurs, la manie du transport quotidien des accessoires d'ablutions dans les résidences impériales... La place ne manque pas pour installer une salle de bains ! Les deux vasques complètent l'organisation de la toilette.

Sur le mur, blanc et moiré, François-Joseph contemple les forêts de la région de Hintersee ou un retour de chasse en fanfare. Ce sont des souvenirs d'excursions avec Sissi quand, ébloui par la beauté de sa jeune cousine, il lui avait fait découvrir, avec fierté, les environs de Bad Ischl. Plus tard, François-Joseph a aussi accroché une vue de Possenhofen, le château des parents d'Élisabeth, en Bavière.

L'impératrice se sent tellement apaisée à Bad Ischl qu'elle décide de faire construire dans le parc, en 1869, un petit palais pour elle seule. C'est le pavillon (ou château) de marbre où elle aime à se retirer. Elle y rédige son courrier personnel et poursuit son rêve poétique. Isolée dans cette charmante construction, elle élabore ses poèmes, une activité qu'elle affectionne depuis l'enfance. Elle se livre aussi au dessin et à la peinture, ayant été encouragée dans cette voie par un professeur, lors de son adolescence bavaroise. Une certaine anglomanie qui sévit à l'époque pousse Sissi à surnommer la maison son *cottage*.

La petite histoire de la famille impériale accorde aussi une place au pavillon de marbre : lors des

fiançailles de Marie-Valérie avec l'archiduc François-Salvator, comme il n'était pas concevable que les futurs époux passent une nuit sous le même toit, on aménage un appartement dans ce palais « élisabéthain ». Plus tard, avec un terrain de jeu à part, il devient l'endroit favori de leurs enfants. Sissi a bien choisi le site et le visiteur ne doit pas manquer l'escalade, facile par une allée en courbe, jusqu'au sommet de la colline. Le marbre rosit dans le soleil couchant, au nord-est de la villa. On passe devant un vénérable tilleul dont une branche, jadis, appelée « branche de l'empereur » était, chaque matin, ornée d'une plante ou d'une fleur à peine éclose, cueillie par un jardinier ; c'était une façon de souhaiter une bonne journée à Sa Majesté.

Aujourd'hui, le château de marbre abrite un musée de la Photographie, fort intéressant, avec la riche collection du Pr Hans Franck. Après l'entrée, on est émerveillé par le grand salon dont le parquet, somptueusement marqueté, vient d'être restauré. C'est ici que l'impératrice aimait prendre le thé ; c'est ici que sont rassemblés les souvenirs de sa présence, sous un plafond sculpté en chêne tandis que les portes néo-gothiques sont en pêcher.

Le cabinet de travail de l'empereur. Ici, François-Joseph a passé soixante étés de sa vie. Debout à 4 heures du matin, le souverain commence par s'informer du temps en consultant les thermomètres et baromètres qui équipent le balcon.

L'après-midi, il fait sa sieste dans ce fauteuil. Le ventilateur électrique date de 1890.

Le bureau sur lequel, après l'attentat de Sarajevo, l'empereur a signé, le 28 juillet 1914, la déclaration de guerre à la Serbie.

Image d'avant 1914 : François-Joseph écoute, dans ce bureau, un rapport du prince de Liechtenstein.

Un buste de Sissi à l'âge de quinze ans et demi.

Le grand salon rouge du château de Marbre, avec ses magnifiques boiseries sculptées. Dans cette pièce, l'impératrice fait servir le thé et rédige son courrier personnel ainsi que des poèmes.

Détails d'objets conservés dans la pièce : à gauche, un minuscule poudrier, à droite un porte-photos dont les documents changent quand on tourne la molette. Les deux objets, comme beaucoup d'autres dans cette pièce, sont à l'effigie de Sissi.

Le château de Marbre a été construit en 1869 pour l'impératrice. D'une colline, il domine la Kaiservilla. Niché au cœur de la forêt, ce pavillon de marbre rose est l'endroit où Sissi aime se retirer, seule, pour réfléchir, méditer. Elle y aménagera des salles de jeux pour ses petits-enfants. Aujourd'hui, c'est un beau musée de la Photographie.

43

HERMES VILLA

Lorsqu'on visite Vienne et que le séjour ou le programme choisi est, notamment, axé sur la nostalgie, il est cependant très rare que l'on vous propose d'aller visiter la plus secrète des résidences impériales, la Hermes Villa. Il faut avouer que l'endroit, situé dans un magnifique parc à l'ouest de Schönbrunn, n'est guère facile à trouver pour celui qui n'est pas familier des quartiers excentriques. On est encore dans Vienne, mais on est déjà très loin du centre ; c'est ce paradoxe qui, d'ailleurs, avait séduit le couple impérial. Aujourd'hui encore, la Hermes Villa se défend contre les pollutions touristiques : l'accès des voitures et des autocars est proscrit de son parc. La villa se mérite, après une promenade d'une bonne demi-heure. On ne le regrettera pas puisqu'elle est la seule grande construction entièrement édifiée par l'empereur pour faire plaisir à son épouse et tenter de freiner sa névrose des voyages.

Esthétiquement, il s'agit d'un immense « chalet fin de siècle », asymétrique, dessiné par l'architecte de la Cour qui avait, dans ce cas, travaillé à titre personnel pour l'empereur. Surgi dans une réserve de chasse, le bâtiment principal, qui sera entouré de nombreuses dépendances, écuries et communs, est commencé en 1882 et achevé un an plus tard. La décoration intérieure se poursuit plus lentement, de 1882 à 1886, François-Joseph tenant à faire la surprise à sa femme. Dès 1884, ce dévoué mari a donné la villa à Sissi ; on peut encore voir, sur le sol à l'arrivée, une borne de pierre où a été sculpté le monogramme d'Élisabeth avec la date, souvenir de l'identité de la propriétaire. Avec ses clochetons, son escalier semi-circulaire, ses passages couverts dentelés de fonte, la Hermes Villa oscille entre le genre ville d'eaux, l'exploitation agricole et le centre équestre.

Avec ce cadeau, François-Joseph tente un nouvel essai de séduction auprès de Sissi. Dans un premier temps, la villa est surnommée, d'une manière petite-bourgeoise, « Mon repos ». L'âme de l'impératrice va-t-elle y trouver l'apaisement ? Dès le 24 mai 1886, lorsqu'il donne, officiellement, à Élisabeth cette nouvelle résidence, l'empereur ne se considère plus que comme un invité de sa femme. Ensemble, ils visitent l'édifice qui ressemble à leur amour, un mélange de banalité confortable et de folie insoupçonnée...

Élisabeth est étonnée de certains éléments décoratifs et François-Joseph craint de lui avoir déplu. Marie-Valérie plaisante le style « rococo

Au pied du grand escalier de la Hermes Villa, à Vienne, Elisabeth, statufiée dans le marbre blanc par Johannes Benk en 1912, semble surprise dans sa lecture et observer les visiteurs qui arrivent.

Construite pour Sissi dans un vaste parc à l'ouest de Vienne, après Schönbrunn, la Hermes Villa est donnée par François-Joseph à son épouse pour tenter de la fixer près de lui. C'est aujourd'hui un musée de la Ville de Vienne qui présente de passionnantes expositions, dont l'une consacrée, jusqu'en avril 1990, à Rodolphe pour le centenaire du drame de Mayerling.

Hommage aux chevaux : des écuries font face à la maison.

Une borne à l'entrée, avec le chiffre d'Elisabeth, rappelle l'année de son entrée dans la Hermes Villa (1884).

Sur les pas de Sissi

manié ré », très ampoulé, des sculptures. Le bois est sombre. L'immense escalier d'entrée, sur la gauche, est austère. Mais voici une ombre de lumière. C'est Élisabeth, blanche, aérienne en une admirable statue. On la dirait surprise dans la lecture d'un livre qu'elle n'a pas refermé ; elle s'est levée comme pour accueillir un ami qu'elle n'attendait pas. On se dit que, arrachée à la jungle des plantes vertes au pied de l'escalier, elle va nous guider jusqu'à l'unique étage.

On est, évidemment, déçu que le mobilier soit rare. La Hermes Villa est aujourd'hui un musée municipal qui abrite de remarquables expositions, dont celle, exceptionnelle, consacrée au fils de Sissi « Rodolphe, une vie dans l'ombre de Mayerling » (du 18 mars 1989 au 4 mars 1990), pour le centenaire de l'énigmatique tragédie. Élisabeth a choisi la Hermes Villa pour y rédiger son testament, le 14 juin 1896. Elle y lègue le domaine à Marie-Valérie, l'usufruit étant réservé à l'empereur. Après divers avatars administratifs dans l'effondrement austro-hongrois, la propriété a été

vendue par le ministère autrichien des Finances à la Ville de Vienne, au début de l'année 1938.

Retenons que l'impératrice, qui veut apprendre le grec, recherche un lecteur capable de l'initier à tous les secrets de la langue d'Homère. Alors qu'elle n'est pas encore tombée amoureuse de Corfou, elle convoque son plus célèbre professeur d'hellénisme, Constantin Christomanos. Celui-ci n'oubliera jamais sa première rencontre avec son élève, dans le parc. On l'a prévenu que l'impératrice arriverait en noir, très grande, très mince. La pluie tombe en rideaux. Cela n'empêchera pas cette première leçon dans un parc de durer... trois heures. Élisabeth tient un parasol blanc, dérisoire contre l'humidité, et bat l'air d'un éventail noir...

Parmi les joies vécues ici, soulignons les fiançailles de sa petite fille Augusta, en mai 1893. Au chapitre, hélas ininterrompu, des tragédies, c'est dans ces murs roses et blancs que l'impératrice apprend la mort, atroce et courageuse, de sa sœur Sophie, la duchesse d'Alençon, brûlée vive dans l'incendie du bazar de la Charité, le 4 mai 1897.

Le souvenir de l'impératrice et reine imprègne toute la Hermes Villa, d'une façon beaucoup plus puissante qu'il n'y paraît, lorsqu'on découvre cette demeure. D'ailleurs, une exposition, d'une exceptionnelle richesse, lui a été consacrée, du 22 mars 1986 au 22 mars 1987. Ce n'est pas par hasard que Sissi choisit cet endroit pour y rédiger son testament, le 14 juin 1896. Ses dernières volontés sont contenues dans neuf paragraphes. Signé « Élisabeth », le document est contresigné et enregistré le lendemain, 15 juin, à Budapest, toujours écrit en deux mots malgré la réunification officielle des deux cités depuis 1873. Lainz et Budapest : la souveraine avait besoin que deux sites où elle était elle-même, deux hauts lieux de son indépendance et de sa personnalité, servent d'écrins à la rédaction de son testament... Les dispositions de ce document ont été révélées dès le 12 septembre 1898, après que les scellés à la cire rouge eurent été brisés par le « Grand Chambellan de Sa Majesté Impériale, Royale et Apostolique ». Si Marie-Valérie hérite de la Hermes Villa,

François-Joseph en conserve l'usufruit ; l'empereur paiera, de sa cassette, les frais d'administration de ce domaine. Après 1918, le ministère du Commerce et de l'Industrie installe un Fonds pour les dommages de guerre.

Parmi ses poésies, Élisabeth en choisit qui sont liées à son testament. A une personne imaginaire qui lui survivrait, elle écrit une « Lettre à l'âme du futur », placée sous scellés en 1890 et remise, selon sa volonté, après sa mort au président de la Confédération helvétique, à Berne. Au chef de l'État suisse, Élisabeth demande que soixante ans après sa mort, on publie éventuellement ses poèmes « au bénéfice des enfants sans ressources de parents condamnés pour des raisons politiques dans la monarchie austro-hongroise ». Une fort curieuse démarche. L'impératrice et reine a vu la politique de trop près pour ignorer ses ravages et l'injustice qui peut peser sur des innocents payant les « fautes » de la génération précédente. Le caractère secret de cette volonté de répara-

Les murs de la salle de bains de l'impératrice évoquent un gymnase antique où dieux, demi-dieux et héros s'affrontent dans des exercices de lutte. Sissi apprend le grec ancien et honore Hermès, messager des divinités et des âmes, avant de se passionner pour Achille, le Grec mortellement blessé au talon. L'engouement d'Elisabeth pour le monde grec peut s'expliquer par la présence d'un de ses oncles, Othon de Wittelsbach, sur le trône de la Grèce indépendante, en 1832.

tion, où l'élément hongrois a du lourdement peser, révèle une généreuse projection dans l'avenir. Le sens de la phrase manuscrite de Sissi montre que, selon elle, soixante ans après sa mort, la double monarchie lui survivrait. Selon ses dispositions, dès 1958, ses poèmes auraient donc pu être diffusés. Ils ne l'ont été qu'en 1984 et il fut décidé que le bénéfice éventuel serait versé au Haut Commissariat des réfugiés de l'ONU. On peut remarquer la confiance que place Élisabeth dans la Suisse, république équilibrée, sachant conserver les secrets. Cependant, après 1880, Élisabeth juge que la Confédération abuse du droit d'asile ; elle ne craint pas d'écrire, dans ses « Chansons d'hiver », cette mise en garde d'une emphase à la fois pittoresque et tragique :

Peuple suisse, tes montagnes sont superbes !
Tes montres marchent bien ;
Mais combien dangereuse est pour nous
Votre engeance de régicides.

Encore une prémonition... En définitive, la Hermes Villa doit être considérée comme une tentative, pratiquement réussie, d'un univers bâti exprès pour cette femme instable, empêtrée dans le paradoxe d'une volonté d'indépendance et de discrétion. A Lainz, Sissi est tout à fait chez elle. Il lui suffit de gravir les trente-sept marches du grand escalier — sombre — pour gagner un « ciel » chargé de rêves. Ciel ou plutôt plafond de ces vastes pièces, de sa chambre. Et le caractère pompéien de son gymnase révèle qu'elle n'est que de passage, en partance pour « ailleurs ». Sa présence ou son absence ont toujours quelque chose de théâtral et son domaine secret s'ouvre inévitablement sur une porte dérobée.

Face à la Hermes villa, le bassin et une partie des écuries où l'impératrice est attentive au bien-être de ses chevaux.

L'impératrice et reine, peinte par Georg Raab, en 1879, à l'âge de quarante-deux ans. Le tableau montre l'éclat de la souveraine au moment où, sa belle-mère et tante étant décédée, elle est vraiment devenue la première dame de la double monarchie. C'est le même peintre qui, entre autres portraits, avait exécuté celui de Sissi en reine de Hongrie, en 1867.

Un détail du plafond de la chambre d'Elisabeth, dans la Hermes Villa : le char d'Obéron et de Titania tiré par deux tigres furieux. Un ciel de lit mythologique...

Madère ou l'évasion manquée

Jardin tropical entre ciel et océan, l'île de Madère est la première des escales lointaines visitées par l'impératrice qui entame sa longue errance, à la fin de 1860. Elle atteint l'«île du bois» à bord du yacht royal britannique *Osborne* que la reine Victoria a mis à sa disposition. Pourquoi Sissi a-t-elle choisi Madère, à 1 000 kilomètres au sud-ouest de Lisbonne et à 500 kilomètres de la côte africaine ? Médicalement, on lui recommande le soleil et la douceur, et il est évident qu'elle les trouverait, par exemple, en Italie. Madère est loin, très loin et Sissi veut mettre une distance, le plus étirée possible, entre elle,

la Cour, sa belle-mère et les reflets de son caractère qu'elle connaît trop bien, une instabilité psychologique.

L'impératrice va aimer Madère, escale des navires sur la route de l'Atlantique, où elle ne risque pas d'être critiquée à chaque embrasure ni épiée comme une bête curieuse. La hauteur volcanique de l'île accroche souvent les nuages. Dès l'arrivée à Funchal, Sissi se remet de la traversée épouvantable et qui a fait vaciller sa suite. Elle est charmée par les maisons blanches, en étages, qui déversent sur leurs murs des cascades de bougain-

Eternel jardin tropical émergé de l'Atlantique, l'île de Madère, à 1 000 kilomètres au sud-ouest de Lisbonne, est le premier refuge de Sissi qui tente d'échapper à ses obligations viennoises. Elle y arrive à la fin de 1860. C'est le début de sa fuite du monde.

Grâce à un influent personnage de l'île, le comte Carvalho, l'impératrice d'Autriche s'installe dans l'ancien palais de la Quinta Vigia, au milieu de la végétation luxuriante.

villées et d'hortensias. Des rues escarpées, montent des senteurs d'orangers; l'île entière semble magique, embaumée, tellement différente. Et puis, des visages inconnus, emplis de curiosité respectueuse, ne peuvent qu'être amicaux. L'impératrice est demeurée à Vienne; c'est Sissi qui, après ce long voyage, se retrouve enfin.

Un influent personnage de l'île, le comte Carvalho, s'est occupé de son installation dans l'ancien palais de la Quinta Vigia, une grande maison claire, admirablement située au-dessus de la ville en amphithéâtre. Les toits de tuile, les fenêtres à petits carreaux, les bananiers, les lianes noueuses éblouissent la souveraine que l'on dit malade et qui recouvre vite une joie de vivre rassurante...

Menant la vie simple qu'elle affectionne, Élisabeth est entourée d'oiseaux, collectionne les papillons, recueille un crapaud géant et poursuit de cocasses duos avec des perroquets. Sissi se promène beaucoup, quelquefois seule, parfois à cheval, le plus souvent dans un de ces attelages fleuris qu'on voit gravir les pentes; le sien est tiré par des poneys blancs; elle en a loué huit.

Les pêcheurs, les maraîchers ne savent pas toujours qui est cette dame, sûrement quelqu'un d'important puisque le roi Pedro V lui a souhaité la bienvenue en territoire portugais. Ils se renseignent sur ce qu'elle apprécie. Et comment ne pas remarquer un nouveau compagnon, venu d'Angleterre, un énorme chien qui va tellement compter pour elle? Impressionnant airedale irlandais, tout blanc, il se montre si attaché à elle qu'Élisabeth lui donne le joli nom de «Shadow» et il devient, effectivement, son ombre. Un long châle jeté sur ses épaules couvre la crinoline de Sissi. Elle joue de la mandoline, fort mal, mais qu'importe... Ses dames d'honneur devront être patientes. Un large chapeau la protège et, peu à peu, l'impératrice éprouve une amélioration physique certaine; elle tousse moins et se repose sans angoisse derrière les vitres de la serre courant au pied de toute la maison. Vivre à Madère, pour Sissi, c'est revivre. La seule nostalgie qu'elle éprouve, au bout de quatre semaines, est l'absence de ses enfants... et de ses chevaux. A François-Joseph, qui guette les courriers arrivés de l'île au soleil, elle écrit, après quelques mots tout de même tendres: «...Je ne peux guère attendre le moment où je monterai "Forester" ou "Red Rose". Je me réjouis de retrouver "Gipsy Girl", car j'ai un chapeau qui va particulièrement bien avec un cheval noir.» Fin mars, elle sait qu'elle ne pourra rester plus longtemps sur cette oasis paisible. La seule durée du voyage interdit de prolonger ce séjour. L'impératrice fait une découverte qui lui sera à la fois pénible et stimulante: elle n'est bien nulle part et sa véritable maladie est la bougeotte, mais sans espoir de guérison. Elle pressent que dans chaque retour, il y a aussi un départ avant le supplice de l'arrivée.

L'église Nossa Senhora do Monte: soixante ans après le séjour de Sissi, Zita, qui lui a succédé, et son mari l'empereur Charles arrivent en exil à Madère. Le 1er avril 1922, le petit-neveu de Sissi meurt. Il est enterré dans cette église. Son dossier de béatification est en cours d'examen au Vatican.

Lorsqu'elle avoue : «Il se trouve que je veux toujours aller plus loin et bouger. Chaque bateau qui part me donne envie d'être à son bord. Quelle que soit sa route, le Brésil, l'Afrique... N'importe où, seulement pour ne pas rester au même endroit trop longtemps», elle est son meilleur médecin. Jamais ne sera établi un diagnostic plus sensé. Élisabeth, impératrice prisonnière des palais impériaux, a voulu s'échapper. Son tempérament l'a rattrapée. Son évasion dure jusqu'au 28 avril 1861. Sissi recommencera, fuyant le déséquilibre de ses contradictions et transformant sa Maison en une agence de voyages perpétuels.

Alors que l'île luxuriante s'éloigne lentement, l'épouse de François-Joseph ne peut savoir à quel degré de douleur et d'effondrement Madère reprendra place dans le destin des Habsbourg. Exactement soixante ans plus tard, Zita, qui a succédé à Sissi en 1916, et son mari, l'empereur Charles, chassés de Vienne et de Budapest par l'effondrement austro-hongrois et le nouveau jeu de cartes de l'Europe, arrivent à Madère, à bord d'un bâtiment, britannique cette fois encore. Un long exil commence, dans l'indifférence, voire l'oubli, et surtout dans la gêne.

Un riche Portugais leur a prêté la villa «Quinta do Monte», agréable résidence d'été. Hélas, l'hiver, elle est glaciale et, l'argent étant rare, le bois aussi. L'hiver 1921-1922 est trop froid pour Charles ; le 1er avril 1922, le dernier empereur d'Autriche et roi de Hongrie meurt, prématurément, de ces rigueurs ajoutées à d'autres. Là où Sissi voulait fuir un monde, Charles, successeur de son mari, repose, porté par la vague de la défaite des empires centraux.

Après des années d'exil, l'impératrice Zita, revenue triomphalement en Autriche en novembre 1982, a refait un pèlerinage à Madère avec ses enfants. L'empereur Charles, lui, est toujours exilé sur cette fascinante montagne des tropiques. Et on peut espérer, après les grandioses obsèques de sa veuve à Vienne, le 1er avril 1989, soit le jour anniversaire de la mort de Charles, que sa dépouille sera, un jour, transférée dans la crypte des Capucins où elle a sa place, à côté de la dernière souveraine.

Songez au hasard qui avait conduit Sissi volontairement et l'empereur Charles involontairement dans ce qui est devenu, entre autres, un paradis touristique. Élisabeth y a vécu un hiver chaleureux ; le successeur de son mari, un hiver fatal, si misérable que son corbillard était une charrette basse à deux roues, traînée par deux serviteurs fidèles. Le souverain, qui faute d'argent avait dû renoncer à son café quotidien, portait son uniforme gris et le collier de la Toison d'or. Les fleurs étaient innombrables : elle symbolisaient le seul hommage qu'on avait pu lui rendre en cet éternel jardin.

Pendant quatre mois, jusqu'en avril 1861, Elisabeth profite des charmes de l'île, se promène, se baigne et recouvre une santé très éprouvée par la perte de son premier enfant et les tensions nerveuses à la cour de Vienne.

Sissi à Madère. A vingt-trois ans, la jeune souveraine séduit la population. Elle est heureuse au milieu de visages inconnus et se croit apaisée.

Les espérances hongroises

A force de répéter le surnom, un peu mièvre, de Sissi et d'évoquer le destin, poignant, de l'impératrice Élisabeth d'Autriche, on finirait par occulter l'autre aspect de la vie officielle du personnage. Nous ne devons jamais oublier que l'épouse de François-Joseph fut également, de 1867 jusqu'à sa mort en 1898, la reine de Hongrie. Elle parvient même — ce qui est remarquable — à ce qu'un peuple, dont les révoltes avaient été durement réprimées par les Habsbourg, accepte l'union politique avec l'Autriche. Authentique âme de cette cohabitation inattendue, la souveraine, en se rendant de Vienne à Budapest, cesse d'être Élisabeth pour se muer en Erzsébet. Elle est l'avocate, l'amie de ces populations danubiennes et de ces hommes politiques qui exècrent la domination autrichienne. Elle est, superbement et parfaitement, la reine des Hongrois.

Dans ces conditions, votre itinéraire serait fort incomplet s'il ne comportait un séjour dans la capitale hongroise qui est, avec Prague, l'une des plus belles villes d'Europe centrale et mérite, à elle seule, un voyage. Une ville ? En réalité, deux villes : l'une, Buda, sur des collines qui dominent une boucle paresseuse du Danube, et l'autre, Pest, qui représente les deux tiers de l'ensemble et s'étire sur une plaine en terrasse. D'ailleurs, si l'on veut être complet, on doit ajouter à Buda et à Pest (qui s'écrivait Pesth jusqu'à la fin du siècle passé) la cité d'Obuda, ancienne Aquincum romaine dont les fouilles mettent au jour ce que fut la limite orientale de l'empire de Rome. On retiendra que l'appellation officielle de Budapest, en un seul

De la colline de Buda, l'admirable vue sur le Parlement (minutieusement restauré) et Pest, de l'autre côté du Danube. Les deux villes ont été réunies en une seule, Budapest, en 1873.

Détail de la statue de la reine Erzsébet (Elisabeth en hongrois) réinstallée en 1988 à proximité du pont qui a toujours porté son nom. Les Hongrois se souviennent que Sissi était leur alliée.

Double page suivante : La lumière bleutée du crépuscule nimbe le Parlement. Il avait permis, avec la double monarchie en 1867, aux voix de la nation hongroise de se faire entendre. Sissi se faisait remettre le compte rendu de tous les débats parlementaires.

mot, date de 1873. Si l'on est un habitué des voyages en Europe de l'Est et même si l'on découvre cette capitale, on remarquera, avec plaisir, combien la Hongrie représente une vitrine libérale. Le spectacle de la rue et les immenses progrès de l'équipement hôtelier le prouvent. Il y a déjà plusieurs années que ce que j'appellerai une « perestroïka touristique » est à l'ordre du jour, confirmée par de grandioses révisions et réhabilitations de l'histoire, cherchant à effacer, autant que faire se peut, les plaies encore vives de la tragédie de 1956.

Ainsi, un courant d'idées refusant d'être enfermé dans le dogme général des pays de l'Est a-t-il permis d'évoquer certaines figures d'un passé plus ou moins récent, passé qui fut, rappelons-le, très brillant ; Budapest, cela se voit, a été une capitale. Profitant de ce mouvement en même temps qu'elle en est un symbole qui peut surprendre, Erzsébet se retrouve à l'honneur... Le visiteur devra donc faire un pèlerinage sur une esplanade au bout du pont Erzsébet, sur la rive de Buda. C'est l'un des huit immenses ponts jetés sur le Danube ; bien que sa première version, construite entre 1897 et 1903, ait été détruite à la fin de la Seconde Guerre mondiale et qu'il ait été recons-

La cathédrale Saint-Matthias, sur la colline de Buda ; elle a été transformée aux XIVe et XVe siècles, lorsque fut élevée la haute tour. Sissi y est couronnée reine de Hongrie le 8 juin 1867.

Le chœur de la cathédrale. Le jour du sacre, c'est Liszt, qui tient les grandes orgues. Il joue sa Messe du couronnement *qu'il avait composée dans l'attente de l'événement.*

truit de 1961 à 1964, il n'a jamais été débaptisé. Le Erzsébet-hid aboutit donc à un terre-plein. On y voit l'ancienne souveraine qui règne sur d'extraordinaires souvenirs. En effet, depuis 1988 et à la suite d'une campagne à la radio nationale hongroise, on a accédé au désir des habitants en arrachant à l'oubli cette immense statue. Elle a réintégré l'ancien quartier royal après avoir été reléguée à Pest, place Lénine, où quelques agités lui avaient percé le cœur, comme pour la tuer une seconde fois... Nettoyée, restaurée et souvent fleurie, la statue fait désormais partie de la recherche du temps d'Erzsébet.

Tout séjour ici sera, naturellement, divisé en deux itinéraires et l'on ne cessera pas de franchir le Danube. Commençons par Buda. Après une forte montée, on atteint le quartier du palais royal ou du château. La vue sur Pest est extraordinaire. A ne manquer sous aucun prétexte, de préférence en fin d'après-midi. On notera comment, dans ce quartier historique maintes fois détruit, les anciennes demeures sont toujours disposées selon un plan tracé au Moyen Age ; les façades rustiques ou baroques ont été patiemment restaurées. Ces rues, que l'on découvrira à pied et où l'artisanat est aimablement présenté, dégagent une poésie certaine par le mélange des genres, notamment dans la partie ouest : un palace ultra-moderne, le Hilton, incroyablement incorporé dans les vestiges d'un monastère dominicain, les échoppes et les boutiques, l'église Notre-Dame, les restaurants typiques. Le dosage entre l'animation touristique et le respect historique est réussi. Après bien des épreuves dont certains murs, près du château, portent encore les stigmates, la remise en état de ce quartier a été considérée comme prioritaire. Et le résultat est une harmonieuse combinaison d'hier avec aujourd'hui.

La haute flèche et le toit doré, à la bourguignonne, de l'église Notre-Dame, retiennent l'intérêt. Cette église est en général connue sous le nom d'église Mathias, plusieurs fois remaniée avec un hommage au gothique puis reconstruite selon les plans d'origine. Trois nefs, quatre étages, des clochetons : c'est l'église où, du XIVe siècle jusqu'au début du nôtre, furent couronnés les rois de Hongrie. On visitera l'édifice tôt le matin en sachant que des offices y sont célébrés, notamment la messe dominicale. Le chœur de Saint-Mathias, composé de voix célèbres, a enregistré divers chants liturgiques et il est vraisemblable qu'un préposé, peut-être un sacristain, vous proposera ces disques après l'entrée dans l'église.

Il faut se représenter les cérémonies qui se déroulèrent sous les voûtes, datant du XVIIIe siècle, le 8 juin 1867. Tous les participants, tous les témoins insistent sur l'éclat de ces fêtes d'union entre les Habsbourg et les Hongrois. Ce sacre scelle un accord politique sans précédent, le « compromis » qui, après de laborieuses négocia-

Sur les pas de Sissi

Au pied de l'escalier qui conduit à la tribune, une statue d'Erzsébet (Sissi) dans sa robe de couronnement.

Le quartier de Pest, vu des terrasses du palais royal, sur les hauteurs de Buda. Depuis plusieurs années, la restauration des vieux quartiers se poursuit et l'équipement hôtelier a atteint celui d'une grande capitale européenne.

tions, a fait naître cette curiosité internationale ayant fonctionné soixante ans : la monarchie austro-hongroise.

Dans l'aboutissement de ces discussions, Sissi a joué un rôle considérable. Sa parfaite connaissance de la difficile langue hongroise, la sincérité de ses élans envers les revendications de part et d'autre du Danube font de l'impératrice un intermédiaire précieux, habile et efficace là où les fonctionnaires de son époux pataugent dans les susceptibilités et les prétentions. Bien entendu, pour l'épouse de l'empereur, prendre la défense de la cause hongroise est également une occasion cinglante de contrer l'archiduchesse Sophie. L'impératrice a d'ailleurs multiplié les provocations : elle a choisi une nouvelle lectrice, Ida Ferenczy, laquelle deviendra une confidente ; Sissi porte le costume national hongrois, notamment le gilet brodé et la coiffe brodée d'or réservée aux épouses des personnages importants. Enfin, elle a su écouter les doléances et calmer les colères, ce qui a nécessité une patience que le tempérament imprévisible et désinvolte d'Élisabeth ne laissait pas prévoir. La Hongrie l'a transformée. Deux hommes, d'abord frappés par son obstination, sont sous son charme. Le premier est le comte Andrassy, surnommé le « beau pendu »

depuis que son effigie a été promenée en public, la corde au cou, après les émeutes de 1848. Il s'était réfugié à Paris. Sissi milite et réussit à ce qu'il devienne le ministre des Affaires étrangères du nouveau système ; le second est Férenc Déak, chef du parti des modérés. Tous deux, avec l'appui de celle qu'Andrassy qualifie de « belle providence », œuvrent pour sauver la Hongrie et l'idée impériale voulue par Vienne. Se sachant contraints de s'entendre, ils s'opposent aux irréductibles anti-Habsbourg, tel Kossuth, ce brillant orateur qui avait symbolisé la révolte contre Vienne et cherchait à tirer parti de l'affaiblissement de la Maison d'Autriche. Grâce à Sissi, la position hongroise est non seulement consolidée mais transformée en apothéose. Leur victoire est celle des espérances hongroises auxquelles Sissi ajoute son charisme. Lorsqu'elle paraît, ce 8 juin 1867, dans sa robe de brocart et d'argent confectionnée à Paris par M. Worth, l'inventeur de la haute couture, elle savoure une superbe vengeance. Ici, aucune critique, pas de mesquinerie. On la reconnaît, on recherche son regard, on l'aime. Et on n'oublie pas que son premier voyage hongrois avait été une tragédie par la perte de la petite Sophie, drame qui avait rassemblé toutes les compassions et fait taire, un moment, les oppositions.

Retournez-vous. Imaginez, aux grandes orgues, une sorte d'oiseau gracieux, un visage ascétique avec un long nez, célèbre, et de beaux cheveux blancs, lisses comme des voiles. Son regard, très bon, manifeste son ravissement et son émotion. C'est Franz Liszt ou plutôt, à la manière hongroise, Ferenc Liszt, de même que, désormais, François-Joseph est considéré comme Ferenc Jozsef. Liszt joue. Et il entend la foule qui, dehors,

Une vue du palais royal, restauré après les ravages de la Seconde Guerre mondiale.

Une fontaine légendaire dans la première cour.

Le très beau portrait de Sissi en reine de Hongrie, dans sa robe commandée à M. Worth à Paris, a été réalisé par Georg Raab. Il était sur le bureau de l'empereur, à Vienne, à Hofburg et se trouve maintenant dans les appartements de l'impératrice.

Le palais royal, qui donne
au quartier de Buda
l'essentiel de son aspect,
vu du Danube et de la
rive opposée. En 1867,
pour leur couronnement,
François-Joseph et Sissi y
reçoivent les dignitaires
de la monarchie
hongroise, devenue, en
droit, l'égale de la
monarchie autrichienne.

La couronne de Saint-
Etienne : une calotte d'or
ornée d'émaux, incrustée
de perles et de pierres, a
été soudée, au XIᵉ siècle, à
une couronne ouverte de
style byzantin. Elle pèse
un kilo cinq cents
grammes. Selon l'usage,
elle est placée, en 1867,
sur l'épaule droite de
Sissi, épouse d'un roi
apostolique.

65

Sur les pas de Sissi

crie : « Eljen Erzsébet ! (Vive Erzsébet !) ». Toute la Hongrie revit, largement grâce à son action et à son influence. En visitant l'église, on verra, au pied de l'escalier en colimaçon qui conduit à la tribune (entrée sur le côté gauche du transept), une statue de la reine. Elle a été placée en souvenir de ce jour historique où, selon la tradition, le primat de Hongrie a posé la couronne sur son épaule droite, signe qu'elle devenait l'épouse d'un roi apostolique. Ce buste en marbre montre une jeune femme déjà différente des effigies autrichiennes classiques. Liszt, qui attendait ces minutes depuis longtemps et avait composé sa messe du Couronnement, rend hommage à la nouvelle reine qui porte le nom de la sainte patronne de la Hongrie. A sa fille Cosima, future seconde Mme Richard Wagner, l'abbé Liszt — il a reçu les ordres mineurs et est venu, tout exprès, de Rome — écrit : « Je ne l'avais jamais trouvée si belle. Elle apparaissait comme une vision céleste dans le déroulement d'un faste barbare. »

Si l'on doutait encore de l'amour de Sissi pour la Hongrie, on apprendra que tout ce qui, à Vienne, se résume en corvées, devoirs, contraintes et vie superficielle, devient, à Buda et à Pest, repos, détente, plaisir et vocation. Transfigurée, la reine — elle a alors trente ans — porte toutes les espérances de la nation magyàr. Ce pays, qu'elle aide à se libérer en lui faisant reconnaître une identité internationale et un statut diplomatique qui en fait l'égal de l'Autriche, nourrit aussi sa propre libération.

En parcourant la tribune, le visiteur s'arrêtera face à un mur de mosaïque, malheureusement mal éclairé, au sommet d'un nouvel escalier droit. La scène, de style byzantin, restitue cette cérémonie du couronnement des souverains apostoliques, le samedi 8 juin 1867. Nous sommes loin des cartes postales pour jeunes filles romanesques. Le poids, le rôle politique et dynastique de la reine se mesurent dans cette église. Que de chemin parcouru, que d'obstacles franchis si l'on se rappelle qu'Andrassy, le même Andrassy qui avait été condamné à mort par François-Joseph, reconnaît, devant tout un peuple, ce même souverain comme son roi...de tels bouleversements — qui ne signifient pas que l'unanimité soit faite autour de cette idée austro-hongroise — permettent à Sissi de rester debout des heures et d'oublier sa hantise du cérémonial.

En tournant sur la gauche, puis sur la droite, arrêtez-vous pour examiner des documents très discrets, qu'on ne montrait pas souvent et qui ont pris, récemment, une valeur rétrospective de pre-

mière importance. Il s'agit de photographies du couronnement qui a suivi celui de Sissi et de son mari, celui de Zita et de Charles, le 30 décembre 1916. Au même endroit que leurs prédécesseurs et près d'un demi-siècle plus tard, le petit-neveu de Sissi et de François-Joseph et son épouse sont ceints de couronnes. Charles Ier d'Autriche est aussi Charles IV de Hongrie. Entre Zita et lui, leur fils aîné, Otto, coiffé d'un bonnet à plumet. En pleine Première Guerre mondiale, la Hongrie renouvelle son pacte. Les effondrements de 1918 et des années qui suivirent, une nouvelle guerre mondiale puis l'entrée de la Hongrie dans le monde communiste n'ont pas empêché, au début de 1989, que le même Otto, chef de la Maison impériale, soit reçu, à Budapest, avec beaucoup d'égards et d'honneurs. Des reportages télévisés ont même montré les soldats à la casquette étoilée de rouge présenter les armes à celui qui, sur la photo de 1916, devait être un jour le monarque. Et la mort de la reine Zita a été marquée ici par un *Te Deum* en présence des membres de la famille.

L'autre centre d'intérêt, à Buda, est l'ancien palais royal. Allez-y à pied : c'est à dix minutes de l'église. L'immense édifice, remanié, reconstruit plusieurs fois depuis le XIIIe siècle, a été incendié pendant la guerre ; son toit s'était effondré. La restauration actuelle a dégagé des fortifications. Malheureusement, la fidélité au style néobaroque ne s'est pas étendue aux fenêtres dont le modernisme choque. La visite de l'extérieur est importante et celle de l'intérieur concerne les trésors de la galerie nationale hongroise. D'autres institutions et administrations culturelles sont installées. De toute manière, revenez sur la promenade pour savourer la vue, au pied de la statue équestre qui fait caracoler le prince Eugène de Savoie. Devant vous, plus de deux millions d'habitants, soit le cinquième de la population hongroise, et le Danube, avenue éternelle qui traverse la cité sur vingt-huit kilomètres. En balayant du regard cet inoubliable panorama, on songe à la position stratégique d'une telle ville. Le monument le plus visible est le Parlement (Orszàghàz), une masse néo-gothique, édifiée par Imre Steindl, de 1880 à 1902 et qui s'étire sur 268 mètres le long du fleuve. A l'intérieur (possibilité de visites guidées), vous pourrez recenser 10 cours, 27 portes, 29 escaliers, 88 statues, dominés par la coupole qui s'arrondit à 96 mètres.

La Budapest que l'on voit, unie par des ponts conçus par les ateliers de Gustave Eiffel, était liée à toute l'Europe par le légendaire «Orient-Express». Ce train de luxe en avait fait la plaque tournante de la vieille Europe centrale. Les immeubles cossus de Pest, les magasins, les théâtres et les larges avenues en témoignent. Fort heureusement, le nettoyage et le ravalement de cette partie de la ville a commencé et l'architecture fin de siècle sera bien en évidence. Selon votre pro-

GÖDÖLLÖ

gramme, vous pourrez assister à une soirée à l'Opéra. Certes, celui de Budapest n'égale pas celui de Vienne, loin s'en faut. Mais, pour ce qui concerne le thème de votre voyage, à la différence de celui de Vienne, il est entièrement d'époque, les dommages de la guerre ayant été limités. On peut donc voir la salle que Sissi a pu honorer de sa présence et le grand escalier réservé jadis aux souverains. Sachez que l'architecte Miklos Ybl a construit cette salle entre 1875 et 1884 et que, sur 5 710 mètres carrés, la salle peut accueillir 1 261 spectateurs. Inaugurée en présence des souverains, le 27 septembre 1884, sa scène était alors l'une des plus modernes de l'époque. Plusieurs compositeurs y ont dirigé leurs œuvres, tels Massenet et Delibes, et, parmi ses illustres directeurs, l'Opéra de Budapest compte Gustav Mahler. Remarquez, des deux côtés de la façade d'entrée de style néo-Renaissance, les statues de Liszt et d'Erkel, premier directeur de la salle. A noter : le 27 septembre 1984, cent ans après son ouverture, l'Opéra, restauré et doté d'installations modernisées, commençait une nouvelle carrière.

La partie la moins connue de votre séjour concernera le château de Gödöllö, à une trentaine de kilomètres au nord-est de Budapest. Insistez pour que l'on vous y conduise, même si l'on vous dit — et c'est vrai — que l'endroit est en travaux. Par pudeur, on a longtemps évité de montrer ce vieux palais aux regards étrangers. D'abord, parce qu'il était tellement délabré qu'on en éprouvait de la peine pour l'un des plus beaux édifices baroques de toute la Hongrie et que cet abandon ne faisait pas bonne réputation. Ensuite parce que, jusqu'à 1988, on y logeait des personnes âgées. Je n'oublierai jamais l'impression de tristesse générale qui fut la mienne après ma première visite, malgré des conseils négatifs, il y a plusieurs années. Avec le soutien de l'Unesco, une gigantesque campagne de restauration a été, enfin, décidée et les premiers échafaudages élevés, afin d'enrayer la ruine qui apparaissait inéluctable.

Fort peu connu des Français et, d'une manière générale, en Europe occidentale, Gödöllö est un chef-d'œuvre. Il faut savoir que ce fut le Versailles ou le Schönbrunn hongrois. Construit entre 1744 et 1748, ce palais est, pour plusieurs motifs, exceptionnel.

Plus vaste que le château des Esterhàzy, à Fertöd, situé dans un parc autrefois très étendu et, naturellement, bien entretenu, Gödöllö (prononcez Gueudeulleu...) a été édifié à la demande du comte Antal Grassalkovich, mécène et confident de l'impératrice Marie-Thérèse. La souveraine vint, en 1751, admirer ce nouveau palais royal dont les plans étaient dus à un architecte réputé, Andràs Mayerhoffer. Esthétiquement, la double envolée de l'escalier dans le hall, l'élégance de la façade, de la coupole et le marbre rouge du salon de Marie-Thérèse suffiraient à placer le château en tête des édifices du baroque hongrois.

Le château vit l'ascension puis le déclin de la famille Grassalkovich avant d'être au centre des événements politiques graves qui secouèrent la Hongrie, un an après que François-Joseph fut monté sur un trône autrichien fragile...

Le 7 avril 1849, Lajos Kossuth y avait réuni ses généraux et décidé que les Habsbourg seraient déchus du trône de Hongrie... Après avoir appartenu à une banque belge, le château vécut un spectaculaire renversement de l'histoire : dans l'esprit et l'enthousiasme du compromis, il fut, à l'initiative d'Andrassy, donné... aux Habsbourg. Là encore, la personnalité de la reine est déterminante dans ce geste accompli au nom du peuple hongrois.

Erzsébet s'y installe souvent, ayant un prétexte supplémentaire pour s'absenter de Vienne. Elle y fait faire des travaux de rénovation et Ybl, l'architecte de l'Opéra de Budapest, procédera, plus tard, à quelques remaniements. La reine organise un manège, monte beaucoup à cheval, apprécie les czardas qu'on lui joue dans le parc

La statue de la reine Erzsébet, au fond du parc de Gödöllö. Elle a été élevée en 1901, par une souscription publique, geste de reconnaissance de la nation hongroise à la mémoire de sa reine assassinée.

Derrière la statue, dissimulé dans les arbres, le banc sur lequel Erzsébet vient s'asseoir. Il est équipé d'une chaufferie en bois fonctionnant l'hiver...

Dans le musée de Gödöllö, une chambre de la reine a été reconstituée en 1988. Elle montre portraits, photos et une riche collection de pièces de monnaie à l'effigie de Sissi.

L'impératrice d'Autriche devient aussi la reine de Hongrie à l'âge de trente ans, en 1867.

Différentes vues du château de Gödöllö à l'époque de la double monarchie. Sissi, son mari et ses enfants dans ce domaine au nord-est de Budapest. La famille y séjourne avec plaisir et vit à la mode hongroise.

foisonnant. La famille royale s'y retrouve au complet. Le roi porte le traditionnel dolman à brandebourgs, suit des chasses à courre et se convertit, peu à peu, à un mode de vie hongroise. Encore une victoire de son épouse...

Lorsque vous serez dans la grande cour d'entrée, face au château, prenez sur la gauche en longeant les murs «jaune Marie-Thérèse» et, après avoir suivi un angle à droite, vous atteindrez la chapelle, la seule partie de l'intérieur du palais actuellement (1989) visible. Sur votre gauche, voyez en entrant la tribune où Sissi assiste à la messe (à noter: l'office est toujours célébré le dimanche et la chapelle du château a longtemps servi d'église paroissiale). Ensuite, quittez le château et tournez sur votre gauche pour traverser l'avenue de votre arrivée. En moins d'un kilomètre, gagnez le vaste parc qui, jadis, faisait partie du domaine où Sissi montait à cheval.

Au bout d'une longue allée, la reine vous attend, statufiée dans le bronze, toujours mince, réfléchie, très «grande dame». Cheveux tressés en couronne, elle tient un éventail et une ombrelle. Son corsage en dentelle est à col montant avec des manches gigot. Les Hongrois de la commune de Gödöllö vous font remarquer fièrement (si vous pouvez les comprendre et vous faire comprendre!) que cette statue a été édifiée par souscription publique en 1901, soit six ans avant celle du Volksgarten (jardin du Peuple), à Vienne.

Mais ne restez pas sur cette apparition d'une fée, encore très vénérée ici. Avancez plus loin, à travers le sentier. Voici un curieux assemblage de pierres. On voit d'abord un banc avec l'identité de la «reine Erzsébet» en grosses lettres, comme si cette place lui était définitivement réservée. Mais, l'hiver étant froid à cause du climat continental, la reine a fait installer un système de chauffage décoré d'une façon ahurissante. Faites le tour, découvrez le foyer; ouvrez les yeux et admirez. Car, dans le genre, c'est admirable! La cheminée est ornée... d'une couronne! Une cheminée royale... Aussi, la reine, lorsqu'elle vient méditer sur son destin, sur celui de ce vaste ensemble, si complexe, qu'est l'Autriche-Hongrie, peut allier le confort le plus intime à la réflexion.

Ne quittez pas Gödöllö sans visiter le musée, discret et qui n'est pas facile à trouver, consacré à la famille royale, bien aménagé et riche de souvenirs. Deux points forts: d'abord, la scène, taillée dans le marbre, à l'entrée, au pied de l'escalier. Elle représente Sissi en larmes, au chevet de son ami Deak, qui vient de mourir. La reine tient une couronne mortuaire. L'allégorie est le reflet de la vérité: le chagrin de la souveraine à la mort d'un des artisans de l'accord austro-hongrois avait ému le peuple. Ensuite, au premier étage, où vous remarquerez de nombreuses illustrations et de la vaisselle du château, demandez à voir, au bout du couloir, sur la droite, la reconstitution d'une chambre d'Erzsébet avec, au premier plan, la plus importante collection de médailles à son effigie. Le cinquantenaire de la naissance de Sissi (1987) a été marqué, ici, par une exposition originale. A Gödöllö, Erzsébet est plus que jamais vivante dans la mémoire locale.

Ci-dessus à gauche :
La tribune de la chapelle du château — toujours consacrée — où la reine peut suivre la messe.

Gödöllö, qui fut le siège d'un gouvernement révolutionnaire provisoire, transformé en caserne puis en hôpital pour gens âgés, est dans un état grave d'abandon. En 1988, les crédits ont été débloqués et les échafaudages installés pour restaurer ce splendide palais XVIIIᵉ siècle, l'un des plus importants d'Europe centrale.

Une escapade
en France

Sur la route de ses perpétuels voyages, l'impératrice et reine vient souvent en France. La Côte d'Azur reçoit sa visite avec François-Joseph, au cap Martin. Et le couple peut y rencontrer l'impératrice Eugénie, veuve de Napoléon III et d'une vie parisienne qui avait fait danser le monde. Mais il est un endroit, en Normandie, qui est chargé d'une légende tenace selon laquelle Sissi serait venue, clandestinement, accoucher d'un enfant bâtard...

Essayons de démêler le vrai du faux. Le vrai : en juillet 1875, l'impératrice loue le château de Sassetot-le-Mauconduit, près de Fécamp et de la plage des Petites-Dalles. Le propriétaire, M. Albert Perquer, a été approché discrètement mais, comme il n'a pas l'habitude, ni l'envie, de louer sa demeure, il répond qu'il est inutile de lui en parler si on ne lui révèle pas l'identité de l'éventuel locataire. Informé, honoré, séduit par la beauté d'Élisabeth, il accepte et, moyennant une indemnité confortable, déménage pendant l'été. L'exception que M. Perquer apporte à sa règle de vie est très importante : en effet, Sissi va laisser un tel souvenir qu'on en parlera très longtemps et qu'on en parle toujours en montrant,

L'escalier qui conduit au premier étage et à la chambre de Sissi au château de Sassetot-le-Mauconduit, près de Fécamp.
Le château en 1989. Il a été transformé en hôtel et le souvenir de l'illustre locataire y a été évoqué par une exposition de photos et de souvenirs prêtés par des musées, en particulier de Vienne, Budapest, Munich et Genève.

Sur les pas de Sissi

Le château en 1875: l'allée est jalonnée d'arbres.

Amazone intrépide, Sissi parcourt le pays de Caux à cheval et fait une grave chute. Pendant plusieurs heures, elle reste dans le coma.

On craint pour sa vie. Elle remonte en selle, et, à trente-huit ans, préfère ses chevaux à certains membres de sa famille...

notamment, la chambre qu'elle occupait et l'allée où elle a fait une terrible chute de cheval qui l'a laissée sans connaissance pendant plusieurs heures, au point qu'on a craint pour sa vie et que François-Joseph faillit venir secrètement, en toute hâte, à son chevet. Une pancarte indique toujours « Allée de l'Impératrice ». Il est non moins exact que l'illustre visiteuse a été incroyablement remarquée dans ce pays où rien, en dehors du conseil de révision ou d'une visite épiscopale, ne change la vie des habitants. Ses moindres apparitions, fantaisies, caprices et lubies ont été commentés, discutés et, surtout, connus. En bref, si l'impératrice avait décidé de séjourner discrètement, secrètement et anonymement, surtout si elle avait une raison absolue de le faire, elle n'aurait pas pu s'y prendre plus mal. Certes, il peut être astucieux d'être voyant afin de passer inaperçu, mais, dans ce cas, quel étalage ! Un train spécial, une suite de soixante-dix personnes, des cultures ravagées par les exploits équestres de l'amazone impériale, laquelle fait dédommager largement les mécontents, en bref, tout démontre que, pendant les mois d'août et de septembre 1875, l'impératrice d'Autriche n'a vraiment rien à dissimuler.

Arrivée en gare de Fécamp le 31 juillet, l'impératrice, alias la comtesse de Hohenhembs, a été précédée du Grand Chambellan de la Cour qui avait supervisé les travaux et les modifications d'aménagements souhaités par Élisabeth. Le château de Sassetot-le-Mauconduit, élégant bâtiment du XVIIIᵉ siècle à un étage, est à l'intérieur complètement bouleversé : un salon a été transformé en salle à manger et boudoir, le billard est devenu un salon et, dans la chambre impériale, les domestiques déposent le fameux lit en fer de Sissi, étroit et dur, transbordé du train dans un coffre noir qui ressemble à un cercueil. Sissi, vêtue d'un sombre costume de voyage en cheviotte bleue, est accompagnée de Marie-Valérie. On imagine mal sa mère sur le point d'accoucher d'un enfant dont le père, de surcroît, serait inconnu... L'énorme chien Shadow, un griffon d'Irlande, se montre un gardien aussi affectueux qu'impitoyable.

M. Albert Perquer a laissé un récit précieux et charmant de ce séjour, intitulé « Une villégiature impériale en pays de Caux », paru en 1897. On y apprend, par exemple, que le boulanger autrichien a apporté des sacs de farine de Hongrie. « Et il pétrit les fameux petits pains viennois qui seront servis le soir même au dîner de Sa Majesté. Trois fois par jour, il allumera son four car l'impératrice et ses dames ne sauraient se passer, à chaque repas, de ces miches exquises, dont le boulanger parisien, pour viennois qu'il la baptise, ne réussit à fabriquer qu'une indigne contrefaçon. » Deux chefs de la Cour sont assistés d'un chef engagé à Paris. Selon l'intendant d'Élisabeth, « sa présence permettra d'étudier expérimentalement l'art culinaire d'un pays qui se pique d'en savoir tous les secrets ». Mais est-ce bien la peine ? Bien qu'en terre française, Sissi n'a pas renoncé à son régime et une femme de cuisine, surnommée la « soupière », lui prépare exclusivement de mystérieux potages tandis que le reste de la suite apprécie les triomphes de la cuisine normande ; le marché de Sassetot est heureux de fournir l'imposante suite qui a bon appétit.

D'innombrables épisodes seraient à rappeler. Citons cette lettre que l'épouse de François-Joseph écrit à son mari, le 2 septembre, et qui témoigne de la curiosité permanente dont elle est l'objet ainsi que de ses démêlés avec les paysans : « [...] les gens sont si effrontés et si mal élevés dans ce pays, ils m'ont tellement poursuivie hier que je suis tout de suite allée à Fécamp et que j'en suis revenue par voie d'eau. A cheval aussi, j'ai eu souvent des ennuis ; sur les routes et dans les villages, les enfants, les voituriers et tous les habitants s'amusent à effrayer les chevaux. Quand on traverse les champs, ceux qu'on ne risque pas d'abîmer, bien entendu, les paysans deviennent extrêmement grossiers. » Afin d'éviter les regards républicains, Sissi fait installer un long couloir de toile qui la conduit du château jusqu'à la mer où elle se baigne chaque matin ; elle aime l'eau vive de la Manche et assiste, incognito, à des régates. N'ayant pu éviter de nombreuses marques de déférence, dont la visite du préfet, qui ne paraît pas remarquer que le tour de taille de la visiteuse aurait diminué singulièrement (si elle avait accouché...), l'impératrice repart le 26 septembre, après avoir distribué des montagnes de largesses.

La « légende de l'enfant de Sassetot » naîtra des ragots colportés, beaucoup plus tard, par la sul-fureuse nièce de Sissi, Marie Larisch, notamment dans son livre au titre alléchant, *les Secrets d'une Maison royale*. Il est truffé d'erreurs monumentales. Ce qui est faux, notamment, est de situer, comme le fait Marie Larisch, ce voyage en Normandie en 1882, soit sept ans après la date réelle... Un tel mensonge hypothèque toute la thèse de l'enfant naturel. M. Perquer, bien avant Marie Larisch, regrette dans son récit que l'impératrice ne soit jamais revenue à Sassetot. Et, en 1895, les habitants de la région, évoquant ce voyage, parlent de 1875 comme de « l'année de l'impératrice ». Je signale, pour clore l'affaire, que Marie Larisch n'a jamais été informée elle-même de ce séjour en France, pourtant connu de milliers de gens, ce qui suffirait à suspecter gravement ses autres assertions.

Si Marie Larisch s'est montrée aussi venimeuse, c'est vraisemblablement parce qu'elle essayait de minimiser son rôle d'intermédiaire dans le roman d'amour qui a précédé Mayerling. François-Joseph l'avait chassée de Vienne et elle a fini en racontant, à travers les États-Unis, des « souvenirs » de la Vienne impériale. Pour quelques dollars de plus...

Après avoir appartenu longtemps à la famille du comte de Mun, petit-fils de M. Perquer, le château de Sassetot-le-Mauconduit est aujourd'hui transformé en hôtel. En avril 1989, une exposition y a été consacrée à Sissi et inaugurée en présence de l'archiduc Siméon d'Autriche, l'un des petits-fils de l'impératrice Zita. Nul doute que, longtemps encore, transmis de génération en génération, les « secrets » du voyage d'Élisabeth ne subiront dans la région d'insatiables interrogations, puisque le doute séduit davantage que la certitude.

La chambre où elle s'installe est au premier. Pour la recevoir, l'intérieur du château est transformé.

Le séjour de l'impératrice et reine en Normandie a été particulièrement voyant. Sa présence a fait sensation. Au-delà de ces documents d'époque, le souvenir de Sissi est resté un sujet d'interrogations diverses et une allée du parc porte toujours son nom.

Les ombres tragiques de Mayerling

I l est des noms qui sonnent doucement à l'oreille et coulent comme du miel. Ce sont des endroits inconnus et qui, par une secousse de forte puissance, pulvérisent leur discrétion et entrent, définitivement, dans le chaos qu'est l'Histoire. Mayerling est de ceux-là. C'est un lieu ravissant, isolé dans la forêt viennoise, à 32 kilomètres de la capitale. A peine quelques feux et un pavillon de chasse, au cœur d'une région où le gibier est roi. Dans les années 1880, l'archiduc Rodolphe, unique héritier de la Couronne d'Autriche-Hongrie, fils de Sissi et de François-Joseph, achète cette résidence rustique et l'aménage d'une façon un peu plus confortable qu'auparavant. Au matin du 30 janvier 1889, dans une aube glacée, des détonations retentissent dans une chambre. Rien à voir avec les armes des chasseurs. L'un des plus poignants drames de l'Histoire européenne vient d'être scellé. Une fantastique énigme va répandre son cortège de doutes, de troubles, de scandales, de suppositions et d'hypothèses graduant, sur l'échelle de l'horreur, une tragédie dynastique, politique et internationale. Aujourd'hui encore, un siècle après le début de l'affaire, les passions ne sont pas retombées.

Depuis un siècle, le nom de Mayerling a cessé d'être une caresse. C'est une gifle imparable. Elle a fait vaciller le vieil empire des Habsbourg. Mayerling est inscrit sur le registre des faits divers comme Sarajevo l'est sur celui des complots et des attentats. A perpétuité. En arrivant à Mayerling, on découvre un vallon verdoyant ; un bouquet d'arbres laisse entrevoir un clocher qui domine quelques toits. En montant le long de l'allée, le visiteur peu voir, sur la gauche, dans une trouée de verdure, une poterne jaune qui garde l'ancien mur de la résidence. Dans cette annexe, l'archiduc fait servir le thé ou une collation lors des battues. Ainsi, contrairement à ce qui est souvent énoncé, on a une idée du plan et de l'architecture du pavillon puisque tout n'a pas été rasé comme l'avait voulu François-Joseph afin d'effacer les traces de l'infamie.

Le visiteur doit savoir que, si Mayerling attire de nombreux curieux romantiques ou simples touristes sans motivation particulière, la plus grande discrétion règne, par contraste, dans cet édifice sans cachet où le silence de la prière est de rigueur. L'autel se situe à l'endroit exact où se trouvait le lit de la chambre de Rodolphe, sur lequel furent, officiellement, retrouvés les corps du prince hériter et de la jeune baronne Marie Vetsera. Mayerling, tragédie d'une densité exceptionnelle, ne peut être considéré, ici, que par rapport à la mère de l'archiduc. Et le souvenir de l'impératrice se rencontre à deux endroits de la visite : l'autel de la chapelle latérale, sur la gauche, en bois sombre et colonnes de porphyre, vient de Corfou, il faisait partie du mobilier de la villa de l'impératrice. La statue de la Vierge, *Mater Dolorosa*, sculptée par le ciseau de Tilgner, a toujours intrigué : en effet, la Vierge a, dit-on, les traits de l'impératrice et son cœur, apparent, est percé d'un poignard. Or, la statue a été édi-

L'archiduc héritier Rodolphe.
Le fils unique de Sissi a une personnalité complexe et déroutante.

Le site de Mayerling.

Les fêtes de Noël à la Hofburg (ici en 1887). Des occasions trop rares de réunir la famille.

La jeune baronne Marie Vetsera. Maîtresse de Rodolphe, la version officielle du drame soutient qu'elle a accepté de mourir de la main du prince, leur amour étant impossible et scandaleux.

La tombe de Marie Vetsera, au cimetière de Heiligenkreuz.

François-Joseph, accablé par la mort violente de son fils.

En gravissant le sentier de Mayerling, on peut voir aujourd'hui cette poterne.

fiée et installée bien avant que Sissi ne meure sous le coup de son assassin qui lui planta un grossier poignard dans le cœur... Lorsque l'on sort de la chapelle principale, on passe devant des restes de l'ameublement du pavillon. Les murs de l'étroit couloir montrent gravures et photos d'époque avec, notamment, Sissi, François-Joseph et l'archiduchesse Stéphanie accablés au pied du corps de Rodolphe, après qu'il eut été ramené à la Hofburg. On remarquera également des exemples de « faux » documents d'illustration, en particulier une gravure qui met en évidence la blessure, sanglante, à la tempe de l'archiduc. Or, jamais le corps du prince n'a été montré ainsi, la tête sans pansement. Bien au contraire, il a été exposé, de loin et dissimulé par des gerbes de fleurs, aux regards interrogateurs des Viennois. Et différentes versions d'une photographie, ce qui suppose au moins un document maquillé, montrent, d'ailleurs, le crâne de Rodolphe soit creusé d'un enfoncement visible, soit sans enfoncement. Ces documents ont tous été mis en circulation, plus ou moins officiellement, dans les jours qui ont suivi la tragédie, au début de février 1889. Ils témoignent que, dès ce moment, l'ambiguïté des interprétations officielles et leurs contradictions successives, avaient soulevé un scepticisme silencieux et embarrassé.

Si Élisabeth n'a pas annoncé, au sens propre, ce qui s'est officiellement déroulé, elle avait, en revanche, pressenti et dit que le mariage de son fils avec Stéphanie de Saxe-Cobourg, fille du roi des Belges, serait une catastrophe. Elle a « vu » la tragédie initiale qui devait en engendrer d'autres. Elle s'était même rendue à Bruxelles spécialement afin de dissuader la Cour de Belgique de s'unir de cette façon à la Cour d'Autriche. L'impératrice, si souvent absente, est à Vienne au matin du drame. La grande horloge de la Hofburg, qui donne sur la Josefs Platz, marque 11 heures du matin. Sa lectrice, la Hongroise Ida Ferenczy,

l'une des rares personnes que l'impératrice-reine autorise à pénétrer à tout moment chez elle, frappe à la porte. Elle paraît, décomposée. Sa voix est étouffée :

— Majesté... le baron Nopcsa veut vous parler immédiatement.

— Qu'il attende ou qu'il revienne plus tard, répond Sissi qui déteste être dérangée quand elle travaille.

La lectrice insiste : le Premier Chambellan de la Cour doit être reçu sur-le-champ.

Le baron Nopcsa entre, le professeur de grec s'esquive. Le Premier Chambellan, qui aime l'impératrice comme si elle était sa fille, dit :

— Majesté... le prince héritier Rodolphe est mort...

Sissi fond en larmes et s'effondre sur son lit en fer qui, étrangement, n'a pas été encore retiré comme il l'est chaque matin. Venant du côté de l'aile Amélie, on entend un pas rapide et souple qui traverse le salon du petit déjeuner. Aucun doute, c'est l'empereur. Élisabeth crie à Ida, pétrifiée :

— Qu'il n'entre pas ! Pas encore !

La Hongroise se précipite à la porte devant laquelle le baron Nopcsa est figé de douleur et

de dignité. L'impératrice essaie de sécher ses larmes.

— Cela se voit ? Eh bien soit, laissez-le entrer et que Dieu vienne à mon secours...

En visitant les appartements impériaux, comment ne pas songer à l'atroce tête-à-tête, bref, entre l'empereur et son épouse, heureusement présente pour partager la violence du choc ? Aucun témoin ne peut dire quels mots Sissi employa pour annoncer la terrifiante vérité. On sait que, rapidement, dans le silence qui s'était déjà abattu sur toutes les pièces, la porte du salon s'ouvre lentement et François-Joseph, brisé, passant devant le chambellan inquiet, ne donne qu'un ordre étouffé :

— Venez avec moi, baron...

Élisabeth a trop été taxée de futilité, d'inconscience devant les réalités de la vie, de perpétuelle fuite, dans tous les sens du terme, pour que l'on ne remarque pas la grandeur de son attitude dans ces moments épouvantables. Ce fils si proche et si lointain, ce fils unique qu'elle aurait voulu élever elle-même, ce garçon qui exprimait de la sensibilité morbide des Wittelsbach, cet homme qui était si mal assorti à son épouse et qui souffrait d'un mariage imposé par la raison d'État à laquelle, elle, sa mère, avait échappé, cet héritier désœuvré, enfin, ce prince désenchanté, gisait, la tête en sang, dans la forêt viennoise... Il était mort d'une mort violente avant d'avoir peut-être vraiment vécu et sa mère et lui s'étaient, en quelque sorte, manqués parce qu'ils étaient trop semblables.

Mais le drame survient dans un contexte familial qui n'est pas simple. En effet, alors que François-Joseph prépare, malgré son chagrin, les communiqués et les dépêches qu'il va devoir adresser à toute l'Europe, Sissi, semblable à sa statue au bout de l'aile Amélie, glisse, messagère du malheur, suivie de sa lectrice. La mère se rend chez sa fille, Marie-Valérie, tout en s'assurant que Mme Schratt, l'amie de son mari qu'elle a elle-même choisie, avec un modernisme de mœurs assez surprenant, est bien là, attendant l'heure de sa visite à François-Joseph dont elle va pouvoir, elle aussi, partager la souffrance.

On ne sait, exactement, ce que les deux femmes se sont dit, sinon que l'entretien a été digne. Il faut encore du courage à Sissi pour affronter, rapidement, la mère de Marie Vetsera, alertée par la police et qui est accourue, avec son manque habituel de discrétion, au palais impérial. Pourtant, elle aussi est frappée : sa fille de 17 ans est morte, dans des conditions qui révèlent un scandale à ceux qui l'ignoraient encore. Comme Élisabeth et Marie-Valérie sanglotent dans les bras l'une de l'autre, François-Joseph reparaît : il faut

La crypte des Capucins, à Vienne, tombeau des Habsbourg depuis le XVIe siècle. Rodolphe, Sissi et François-Joseph y reposent. Le 1er avril 1989, l'impératrice Zita y a été inhumée après une cérémonie impressionnante par ses fastes d'empire défunt.

La chapelle du couvent de Mayerling. L'autel est à l'endroit exact où se trouvait le lit de l'archiduc. Pour expier le drame, selon la volonté impériale.

maintenant prévenir Stéphanie, la femme de Rodolphe, et l'empereur rassemble ce qu'il lui reste de forces. Alors Sissi, dans l'insoutenable stupeur, s'en prend au ciel et remarque :

— Quand il se met à détruire, le grand Jéhovah est comme la tempête.

Le comportement de l'impératrice échappe, une fois n'est pas coutume, à la critique. Elle prend sur elle, dompte ses nerfs et ne craque que le 2 février, lors d'un triste repas. Une faiblesse passagère, comme si elle était surtout angoissée des réactions de son mari. Celui-ci, recevant les condoléances des parlementaires, avoue :

— Je ne puis trouver de mots assez forts pour dire combien je suis reconnaissant à ma chère épouse adorée, l'impératrice, de son soutien pendant ces tristes jours. Je vous serais reconnaissant de le faire savoir autour de vous.

De 1889 à 1983, la version officielle du suicide de Rodolphe après avoir tué, avec son accord, sa maîtresse, fut tant bien que mal et parfois difficilement admise, présentée, commentée avec résignation si l'on s'en tient à l'enquête de police, avec enthousiasme si l'on veut que Rodolphe et Marie soient les *Roméo et Juliette* de la Mittle Europa.

Véritable coup de Trafalgar dans l'océan des mensonges et des occultations diverses, les déclarations de l'impératrice Zita n'ont pas fini de reposer le problème. S.M. Zita m'avait fait l'honneur de me confier son opinion sur cette tragédie dès le 10 octobre 1982, la veille de son retour à Vienne. Elle révéla tout au peuple autrichien, par le biais d'un quotidien très influent, en mars 1983. Une fracassante déclaration en 13 points, un événement sur la forme comme sur le fond puisque aucun Habsbourg n'avait jamais — du moins publiquement — qualifié la double mort d'assassinat politique. On peut, aussi, penser que Zita avait tout intérêt à laver Rodolphe de l'infamie qu'est, pour un prince catholique, le meurtre et l'assassinat. Une discussion sans fin divise à nouveau les historiens et même plusieurs membres de la famille impériale et royale d'aujourd'hui. Certains croient au suicide, y croiront jusqu'au bout et parviennent à le démontrer. D'autres, alléchés par la thèse de l'assassinat et qui y ont toujours cru, font une démonstration qui peut être tout aussi convaincante. Zita, qui fut l'apôtre de la Paix pendant la Grande Guerre, a laissé un testament disant : « J'ai noté exactement tout ce qui m'a été confié sous le sceau du profond secret. » Mais qui pourra, incontestablement et définitivement, rendre justice à la vérité et à l'Histoire ?

L'impératrice Zita reçoit Jean des Cars en 1982. En 1983, elle déclare à la presse autrichienne que Mayerling n'est pas un double suicide, mais un assassinat politique. Ses arguments entraînent une polémique et divisent les historiens dans une spectaculaire remise en cause de la version « officielle ».

Zita, princesse de Bourbon-Parme, née en 1892, épouse en 1911 Charles de Habsbourg, petit-neveu de François-Joseph auquel il succède en 1916.

Le palais roulant de Sissi

Une voiture à trois essieux, discrète, anonyme. Elle pèse 18 tonnes.

Le service à thé en porcelaine aux armes.

L'argenterie : le confort d'un train de luxe.

La voiture lit-salon est partagée en deux. Cuivre, bois précieux et tissus épais décorent le boudoir-salon où Elisabeth peut accorder des audiences intimes. Mais les rideaux sont souvent fermés.

Afin d'être totalement indépendante et de pouvoir voyager à son aise, sans mobiliser systématiquement un matériel peu discret, l'impératrice demande à François-Joseph de lui faire construire une voiture-lit-salon qui pourra être raccrochée à différents express et rapides internationaux, la suite de la souveraine voyageant dans des voitures normales.

Cette voiture à la livrée vert sombre, que l'on peut voir au musée des Sciences et des Techniques de Vienne, date de 1873. Construite à Prague par les ateliers tchèques, elle peut, évidemment, faire partie d'un train spécial complet, comme lors de la venue de Sissi en Normandie, en 1875. Elle comporte une chambre avec un lit parallèle à la voie, un salon-boudoir, douillet, confortable, avec table de toilette en cuivre. Le premier éclairage est assuré par des lampes à pétrole. A l'entrée, des toilettes ont été aménagées.

Dans cet appartement roulant, Sissi traverse l'Europe. Sa voiture, d'une longueur de 9 mètres, sans chiffre ni armes visibles de l'extérieur, lui assure l'incognito. Pendant 25 ans, Elisabeth sera aussi l'impératrice du rail. Dans certains voyages avec François-Joseph, elle utilise le train impérial. Au début de leur mariage, une longue voiture-salon était marquée de leurs initiales encadrant la fenêtre centrale. Une des compagnies de chemins de fer de l'empire porte le nom d'Elisabeth. La souveraine apprécie également le yacht impérial «Miramar» qu'elle retrouve, en général, à Trieste. A son bord, elle fait le tour de la Méditerranée. Pour des voyages plus lointains, elle accepte la proposition de la reine Victoria qui met à sa disposition son yacht personnel, le vapeur «Osborne»: capable d'affronter l'océan, il peut la conduire jusqu'à Madère. Trains et bateaux permettent à l'impératrice errante de fuir le monde avec discrétion. A Vienne et à Budapest, elle dispose d'une gamme de coupés et de phaétons pour des promenades ou des trajets courts. Quel que soit le moyen de transport choisi, Elisabeth-Erzsébet est toujours entre deux voyages. Chaque année, elle parcourt des milliers de kilomètres.

Les mirages
de Corfou

« Chacun peut faire de soi une île. » Ainsi s'exprime Elisabeth d'Autriche-Hongrie en décidant, après d'incessantes pérégrinations autour de la Méditerranée, que l'île grecque de Corfou, si italienne avec ses lauriers-roses et ses sombres cyprès, sera son port d'attache. Ce qu'elle n'avait pu trouver à Madère parce que c'est loin et qu'elle était trop jeune, elle pense que Corfou le lui donnera.

« Ici je pourrais renier mon principe de perpétuelle errante. » Elle espère, avec cette bonne résolution, convaincre l'empereur de l'aider à lui faire construire une villa, après avoir hésité sur le terrain idéal. Elle choisit un site magnifique sur la côte orientale, au sud de Gastouri et au fond de la baie Benitses. Sissi se fixe sur une colline. A cent quarante-cinq mètres d'altitude, elle domine une mer indigo d'où monte une brume qui, au-dessus de l'eau, accapare et en même temps vivifie la lumière, l'admirable lumière. Comme tous les Wittelsbach, Elisabeth a le génie des sites. Pressentant les conseils d'un architecte italien, elle lui transmet les ordres que lui dicte son âme désemparée, à la recherche des racines de sa civilisation.

Son palais, qu'il est facile d'atteindre à douze kilomètres de Corfou-ville (Kerkira), est spectaculairement dédié à la Grèce antique, comme la décoration de son gymnase de la Hermès villa.

Après Hermès messager des dieux et des âmes, Achille demi-dieu est hissé sur l'autel des mythes appréciés de Sissi. Elle nomme son nouveau palais l'« Achilléion » (Ahilio). Ce palais d'Achille, en marbre blanc, est, naturellement, d'un style néoclassique marqué par des colonnades de facture dorique.

Lorsque cette résidence, très grande, est achevée en 1890, Corfou n'est complètement grecque que depuis vingt-sept ans, avec l'accession au trône du roi George Ier, d'origine danoise. Cet avènement avait mis fin à des années d'influence anglaise, française et russe par le biais de tutelles et de protectorats.

L'entrée de l'Achilléion, le palais de marbre blanc que Sissi fait construire en 1890. Sa chambre est au premier étage. Elle aime séjourner à Corfou au printemps.

Le « palais d'Achille » est entouré d'une végétation luxuriante disposée en terrasses.

Sur les pas de Sissi

Des documents très rares, extraits d'un minuscule album — de la taille d'une boîte d'allumettes — que Sissi porte sur elle, de 1890 à sa mort. Ils montrent combien sa villa grecque est importante pour elle, avec l'hommage à Achille et à la statuaire classique qu'elle a voulu rendre.

« La mer est comme un lac », déclare Sissi qui se sent chez elle en Grèce comme si elle était en Bavière. La douceur du climat et l'amabilité des Corfiotes séduisent l'impératrice, déjà conquise par la beauté de l'île. Corfou sera son « escale » favorite.

Sissi, qui ne pouvait que soutenir l'indépendance grecque, ne peut cependant oublier que son oncle Othon Ier de Bavière, en 1833 et pour une trentaine d'années, avait été le premier souverain de la nation hellène libérée des Turcs.

Avançons dans les allées qui semblent tracées comme celles d'un cimetière oublié. Les cyprès sont souvent les compagnons des défunts ; fort heureusement, les roses égayent la visite. Des

héros et des guerriers, casqués et armés, montent la garde ou s'entraînent au combat pour mieux défendre les illusions et les fantasmes de la propriétaire en 1890. A un collectionneur réputé, le prince Borghèse, Sissi a acheté une abondante série de statues « anciennes » même si certaines sont des rééditions fin de siècle, comme celle, symbolique, de l'*Achille blessé*, qui date de 1884. Au bas de l'escalier à neuf marches qui conduit à l'entrée, Achille a perdu sa bravoure. Pâris a percé son célèbre talon d'une flèche mortelle lors du siège de Troie.

Le visiteur remarque, plus loin, une autre statue d'Achille, bouillant, victorieux, debout, prêt à faire usage de sa lance et de son bouclier.

S'agit-il d'une incohérence, d'un remords ou d'un paradoxe supplémentaire dont Sissi a le secret ? Nullement. Après l'assassinat de sa femme, François-Joseph, brisé et n'ayant plus le cœur à venir errer ici dans les vallées tant aimées de Sissi, l'Achilléion est acheté par l'empereur d'Allemagne, Guillaume II, en 1907. Le Kaiser, qui ne craint pas d'être mégalomane, fait élever cette statue beaucoup plus à son image que celle, romantique, placée par Elisabeth. Et, pour donner un ample écho à sa manie du triomphalisme guerrier, il fait graver, en dessous, une ahurissante inscription : « Au plus célèbre des Grecs, le plus célèbre des Allemands » !

Ajoutons que l'Achilléion reçoit la visite de l'empereur « aux moustaches en guidon de bicyclette » chaque printemps, de 1908 à 1914. La propriété a ensuite été transformée en hôpital, en 1916, par les Français. Aujourd'hui, la villa d'Elisabeth est un musée et, surtout, un casino. L'ensemble pourrait — devrait — être mieux tenu. Dans ce jardin à l'italienne, on retrouve la silhouette de l'impératrice glissant sur les terrasses fleuries. Elle aime, surtout, se rendre à l'extrémité de la corniche face à la côte de l'Epire. Des buissons de lauriers cachent un banc de marbre semi-circulaire. Elisabeth, lasse des tragédies du monde qui l'accablent, vient s'y asseoir pour contempler l'eau paisible, voile de sérénité.

Les Grecs impressionnés et flattés par sa présence, stupéfaits par la rapidité de ses déplacements, la surnomment l'« impératrice locomotive » ! Ils se réfèrent aux premières voies ferrées qu'on construit à travers l'aridité du Péloponnèse. Or ici, sur ce banc, Sissi s'arrête de courir. Elle retrouve la paix immobile, le repos de l'esprit et ce silence des questions sans réponse, un an après l'horreur de Mayerling. A Corfou, Elisabeth se repose parce qu'elle se retrouve. Elle réfléchit, reprend des forces comme Ulysse s'était régénéré quand l'île s'appelait Skira. On notera également un très beau marbre dû au sculpteur Canova qui, assurat-on à Elisabeth, aurait utilisé l'indécente Pauline

L'entrée des jardins est gardée par les héros et demi-dieux de la Grèce classique.

Embusqué dans les jardins, un faune au regard ambigu et ironique.

Bonaparte, devenue Pauline Borghèse, comme modèle. A ses visiteurs, Sissi, amusée, fait observer : « J'ai amené aux muses une nouvelle compagne. J'espère qu'elles l'auront bien accueillie. Apollon, tout au moins, la regarde fort tendrement. »

Nouvelle olympe marmoréenne où Sissi joue avec la mythologie et place ses statues à la manière des pièces d'un échiquier de verdure luxuriante, l'Achilléion a beaucoup de charme. C'est la Grèce dans la Grèce, revisitée par une voyageuse aux aspirations méditerranéennes.

A l'intérieur, les vastes salles s'ornent de motifs et de fresques à l'antique. Différents souvenirs, dont un portrait par Winterhalter, rappellent que l'impératrice aimait cette maison dont elle a surveillé chaque détail. Pendant plusieurs années, elle y revient avec bonheur : Corfou est devenu le but de ses voyages. A Vienne, la population n'ose plus se plaindre des absences quasi permanentes de la souveraine. Tant d'épreuves se sont abattues sur elle ! François-Joseph, l'empereur, se prend à espérer qu'elle va, enfin, se fixer sur ce morceau de terre ensoleillé qui, à partir de Venise, n'est pas trop éloignée. Et il est exact que Sissi croit sincèrement avoir déniché son refuge final depuis sa première arrivée ici où, ravie, elle avait découvert l'île au printemps «quand les arbres avaient revêtu leur robe de mariage...».

Fidèle à la simplicité apparente de sa vie, Elisabeth dort dans un lit en fer, peu travaillé mais qui est sur roulettes. Une manière de montrer que, même pendant son sommeil, la souveraine souhaite reprendre sa fuite perpétuelle et pas uniquement en rêve.

Cependant, au bout de cinq à six années, Elisabeth, nullement assagie à plus de cinquante-cinq ans, ressent encore et toujours les atteintes de son mal à l'âme. Moins vives certes, que jadis, moins exigeantes puisqu'elle est attachée à Corfou meublée de toutes ses obsessions. Mais l'appel du large est trop aigu pour que la «mouette» — ainsi se définit-elle — n'entende pas. Le cri ne vient pas de l'horizon, il est en elle. Et, une fois encore, le commandant du yacht impérial *Miramar* reçoit l'ordre de mettre le cap sur l'idéal. La dame en noir, debout, racée, face à la rambarde, voit s'éloigner les côtes albanaises, rosées dans le crépuscule. Les cyprès de Corfou sont en pointillé et l'île, qui peut se vanter d'avoir su retenir l'insatisfaite comme aucune autre terre au monde, s'évapore dans la mer ionienne.

Corfou, Corfou l'admirable, Corfou la douce, n'était, hélas, qu'un mirage de plus...

L'Achilléion est aujourd'hui un musée et un casino ouvert le soir.

Le palais à l'époque où Sissi y réside (1890). Son important mobilier est aujourd'hui dispersé principalement en Autriche.

En Suisse, le rendez-vous avec la fatalité

D ans l'été lumineux des Alpes du Salzkam- mergut, la longue masse jaune de la villa impériale s'allonge au pied d'un éperon boisé que Sissi appelle sa « montagne magique ». Il fait chaud, il fait bon. Une fois de plus, pour la souveraine, son séjour à Bad Ischl ressemble à un entracte dans l'opéra tragique de sa vie. François-Joseph s'est arrangé pour faire des allées et venues régulières à partir de Vienne et retrou- ver celle qu'il aime à l'endroit où, en 1853, il a eu le coup de foudre pour sa cousine. Il y a quarante-cinq ans. Déjà... Et c'est ici, dans ce cadre enchanteur, qu'il vit, sans le savoir, ses der- niers moments de vie commune. Les ultimes moments d'une illusion qui a remplacé le bonheur.

Mais, fidèle à ses décisions brutales, Sissi a ordonné qu'on fasse ses malles. Le train impérial est sous pression. Le 16 juillet 1898, Sissi, le pas urgent, jette un rapide regard sur ce décor qui est le sien : elle l'a aménagé en partie avec son cœur. Son petit bureau du premier étage est tou- jours encombré de photos de Marie-Valérie, avant et après son mariage, de peintures de chevaux. Dominant la résidence familiale, le château de marbre rose s'éclaire, comme d'une lumière secrète. A l'heure du thé, Sissi y a écrit ses der- nières réflexions avant de monter dans son train.

Après un crochet par la Bavière et quelques visites familiales, Sissi arrive le 30 août à Terri- tet, près de Montreux. Elle est heureuse ou, pour être plus exact, apaisée.

La magnifique galerie- patio de l'hôtel Beau- Rivage, à Genève, où Sissi arrive le 9 septembre 1898.

La dernière photographie de Sissi vivante (à gauche), à Territet, près de Montreux, le 8 septembre 1898.

A droite : sa dame d'honneur, la comtesse Irma Sztaray.

Le 9 septembre, l'impératrice, passagère anonyme, est à bord d'un bateau de la Compagnie générale de navigation. Elle aime les voyages en bateau et se compare souvent à une mouette qui erre d'île en île, d'un rivage à l'autre.

Le concierge lui remet des lettres postées d'Ischl puis de Vienne. «... Tu me manques infiniment », avoue l'empereur esseulé. « Mes pensées sont près de toi et je souffre à l'idée de cette longue, si longue absence. La vue de tes appartements vides a réveillé ma mélancolie.» Une mélancolie envahissante, la vraie compagne de l'empereur et de l'impératrice. Même Mme Schratt se dit souffrante. Un comble ! « C'est une seconde impératrice ! » soupire François-Joseph, accablé par le mimétisme entre les deux femmes de sa vie. Sissi voyage avec la suite le plus réduite possible, ce qui implique tout de même une quinzaine de personnes, dont le général Berciviczi, grand chambellan, le Dr Eugène Kromar, secrétaire particulier, le prince d'Auersberg, grand chambellan de la Cour, et le comte de Kuefstein, ministre plénipotentiaire d'Autriche-Hongrie à Berne. Les caméristes et dames de la Cour sont en noir, la livrée du malheur. Mais la personne dont Sissi se sent le plus proche et qu'elle fait passer immédiatement après elle, est sa dame d'honneur, la comtesse Irma Sztaray, une Hongroise, bien entendu.

Élisabeth est souriante, réjouie. Elle va prendre le bateau qui la conduira en une matinée à Genève, où elle a accepté l'invitation à déjeuner de la baronne Julie de Rothschild. Sur le pont, enchantée d'être perdue au milieu des passagers, elle profite de l'admirable paysage des vignobles dorés, au rythme des roues du vapeur qui battent l'eau claire.

A Genève, la baronne de Rothschild a envoyé sa voiture qui conduit les deux femmes à sa résidence de Pregny. Le «déjeuner de Sa Majesté l'Impératrice », rédigé en français, annonce des «petites timbales à l'impériale » (cela s'imposait !), une «truite du lac du Bourget », un «filet de bœuf jardinière », une «mousse de volaille Périgueux », un «chaud-froid de perdreaux en Bellevue », une «crème glacée à la hongroise » (la gastronomie est bicéphale !), une «spongeade au citron » et une «marquise au chocolat »... Bon appétit, Madame ! Pauvre Sissi qui s'évertue à suivre un régime démentiel ! Curieusement — c'est sans doute un signe de sérénité —, l'hôte fait honneur à cette bonne chère et boit même une coupe de champagne frappé. Un événement !

Devant l'hôtel, en fin d'après-midi, les deux femmes s'assoient un moment au jardin Brunswick. Sissi tient dans sa main une pêche qu'elle a achetée pour se rafraîchir. Au moment où elle va mordre dedans, un corbeau, très attiré lui aussi, fait tomber le fruit d'un battement d'ailes. Sissi se lève brusquement et, très pâle, dit :

— Un corbeau n'est pas bon signe. Il indique toujours un malheur dans notre maison...

A l'hôtel, Mme Fanny-Louise Mayer, jeune directrice et propriétaire, accueille les deux fem-

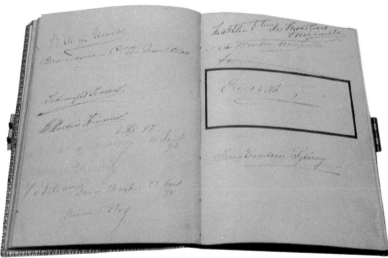

Suite du Mois de Septembre 1898					
Date de l'arrivée (Mois Jour)	Prénoms, Noms	Professions	Nationalité	Date du départ (Mois Jour)	N° de la chambre
Sept. 9	Sa Majesté l'Impératrice Elisabeth d'Autriche	et suite.			34-36.
"	Comtesse Irma Sztaray, Dame d'Honneur de S. M.	et suite.			32.33.
"	Docteur Eug. Kromar, Secrétaire particulier de S. M.				64.
"	Général Berczviczi, Chambellan de S. M.				25.
10	Comtesse Harrach, Dame de la Cour.	et suite.			23.24.
"	Comtesse Festetics, Dame de la Cour.	et suite.			92.93.
"	Prince d'Auersperg, Gr. Chambellan de la Cour.	et suite.			91.
"	S. Ex. Comte Bellegarde	et suite.			29.30.
"	Mlle de Meissel, Camériste de S. M.				40.
"	Mlle de Hennike, Camériste de S. M.				41.
9	Comte de Kuefstein, Ministre d'Autriche-Hongrie à Berne				104.
10	Mr Nader, Controleur du train Impérial.				90.
12	Mme Sarah Bernhardt et suite		Paris		58.59
13	Mr Mme J. R. Ronald		London		95
16	Melcher et Daughter				138
16	W. H. Meeker et suite		New-York		127.128
	Miss Meeker				
16	de Niceville		England		139
16	E. Brion et suite		Reims		126
14	Mme P. Plé et suite				4.5
16	H. T. Herbeck		U. S. A.		102
16 Mme	J. H. Rowell		Allemagne		29
16 Mme	A. Marillier		Paris		25
16 Miss	James		U. S. A		69
15 Mr Mme	Ingraham et suite		Paris		26
16 Mr	H. Payne				27

Le registre de l'hôtel Beau-Rivage en 1898. Le concierge a deux écritures : la première, majestueuse, est réservée aux souverains, chefs d'État et à leurs suites ; la seconde, plus discrète, note les arrivées et les départs de la clientèle ordinaire comme... Sarah Bernhardt. Mais Sissi et la tragédienne ne se rencontreront pas. Le 9 septembre, Élisabeth signe le livre d'or de la baronne de Rothschild, qui l'avait invitée à déjeuner à Pregny. En dessous, le paraphe de la dame d'honneur.

Sur les pas de Sissi

Dans le salon des appartements de Sissi au Beau-Rivage, une robe que la souveraine donne à une femme de chambre.

mes arrivées silencieuses. Une terrible prémonition pèse sur ce moment et Sissi, incontestable médium, ne peut l'éloigner. Tant de malheurs se sont déjà abattus sur la dynastie...

Le lendemain, 10 septembre, fatiguée par une courte nuit, l'impératrice ne se manifeste pas avant 9 heures. La femme de chambre dépose sa collation. «Pour son petit déjeuner, raconte Mme Mayer, l'impératrice avait demandé un choix de petits pains de tous les goûts et de toutes les formes qui lui ont été servis sur un grand plateau en argent.»

Une fine brume se dissipe. La journée sera très belle, et la température est déjà élevée. La souveraine donne des instructions simples :

— A 11 heures, je veux aller écouter en ville un nouvel orchestrion et à 1 h 40, comme prévu, nous prendrons le bateau pour Territet. D'ici là, je n'ai besoin de rien.

11 heures. D'une ponctualité maniaque, comme son mari, Sissi et la comtesse se dirigent vers le magasin de musique Baecker, rue Bonnivard. L'impératrice a toujours aimé les boîtes à musique et les orgues de Barbarie. On lui présente un modèle à manivelle — appareil que j'eus le privilège de voir, fabriqué par J.H. Heller, à Berne. Elle fixe son choix sur 24 rouleaux et dit à Irma Sztaray :

— Cela fera plaisir à l'empereur et aux enfants.

Elle signe le livre d'or, mais en hongrois «Erzsébet Kiralyné» («la reine de Hongrie»). Son dernier paraphe officiel, son ultime choix d'identité.

Devant le jardin Brunswick, un fiacre attend. Un cocher sera témoin de la tragédie du 10 septembre 1898.

Sissi décide de regagner Montreux par le bateau normal, refusant d'utiliser le yacht des Rothschild.

Les deux femmes regagnent l'hôtel. En hongrois, la comtesse dit :

— Majesté, il est presque 1 heure et demie. Le vapeur part dans dix minutes. Il faut nous hâter !

La reine répond en hongrois, le regard fixé sur les cimes qui déchirent le ciel pur :

— Je n'ai jamais vu le mont Blanc aussi nettement...

Devant le miroir, la souveraine ajuste sa tenue, remet son chapeau noir, enfile ses longs gants blancs, saisit éventail et ombrelle. A pas mesurés, sans hâte, elle quitte l'appartement, descend l'escalier de la superbe galerie-patio qui, avec ses colonnes roses, évoque l'atrium d'une villa vénitienne.

Il est 13 h 35 lorsque, saluée par Mme Meyer et le concierge, Élisabeth-Erzsébet sort. Cette fois, elle marche vite. Vers la Mort qui la guette à moins de cent cinquante mètres...

Elles ont passé le monument Brunswick lorsqu'elles remarquent un jeune homme qui paraît venir à leur rencontre, presque en courant. Elles s'effacent car il est tellement pressé qu'il va les heurter. Soudain, au moment où il croise les deux silhouettes en noir, l'inconnu paraît trébucher et lève le poing droit ; il frappe Élisabeth qui allait ouvrir son ombrelle pour se protéger, peut-être par peur, peut-être du soleil aveuglant. Sous le choc, l'impératrice s'affaisse sans dire un mot et sa tête heurte le quai. La dame d'honneur, qui n'a pas eu le temps de comprendre ce qui s'est passé, pousse un cri pendant que l'inconnu prend la fuite. Le cocher d'un fiacre qui attendait, témoin de la scène, aide la Hongroise à relever Sissi.

94

Rouge d'émotion, celle-ci arrange son chapeau et ses cheveux, ses beaux cheveux qu'elle appelle sa «vraie couronne» et qui ont amorti la chute ; le cocher hèle le concierge de l'hôtel, lequel avait assisté à l'étrange incident et arrive en courant. M. Planner aide la comtesse à brosser la robe grise de poussière. Irma Sztaray n'a vu qu'un coup de poing :

— Est-il arrivé quelque chose à Votre Majesté ? Votre Majesté souffre-t-elle quelque part ?

— Non... Non... Je vous remercie. Ce n'est rien.

Le concierge insiste pour qu'elle retourne à l'hôtel.

— Mais non ! Il n'est rien arrivé...

— Votre Majesté a-t-elle eu peur ?

— Oui. J'ai eu peur...

Maintenant, elles sont devant le bateau, le *Genève*, dont la cloche tinte sans arrêt. Il va partir. On va larguer les amarres. En hongrois, Erzsébet interroge le Destin :

— Je me demande ce que me voulait cet homme... Peut-être m'arracher ma montre ?

Mais la rougeur de son visage a fait place à une inquiétante pâleur. La comtesse soutient Sissi, craignant un malaise. L'impératrice s'appuie sur la balustrade en fonte qui borde le quai. La voix noyée d'angoisse, elle demande :

— Ne suis-je pas très pâle ?

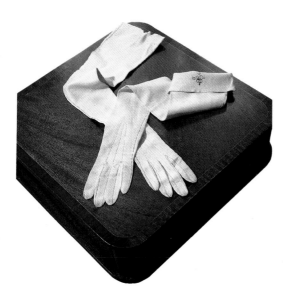

— Oui, Madame. Très pâle. Votre Majesté souffre-t-elle ?

— La poitrine me fait très mal...

Le concierge crie :

— L'agresseur est arrêté !

L'homme, qui s'était enfui par la rue des Alpes, perpendiculaire au quai, a été maîtrisé par un ouvrier électricien, M. Louis Chammartin, venant en sens inverse. Un gendarme, qui faisait une ronde, l'a aidé. Ramené au Beau-Rivage — par l'entrée de service —, l'inconnu est interrogé par le directeur, M. Mayer. On commence à redouter quelque chose de beaucoup plus grave qu'un brutal vol à la tire. « Mon mari, raconte Mme Mayer, au comble de l'exaspération, lui assena un coup violent sur la bouche. Un jeune baron autrichien qui se trouvait à l'hôtel voulut aussi se jeter sur lui. Le gendarme l'en empêcha. » L'atmosphère est si tendue à l'hôtel que le gendarme demande de l'aide au commissariat de police du quartier des Pâquis. L'inconnu refuse toujours de répondre à toute question. Il affiche un air cynique et sauvage...

Pendant ces minutes d'incertitude, sa victime atteint enfin la passerelle du bateau. Sur le pont, de nombreux passagers regardent, en curieux, cette femme grande et mince qui leur rappelle quelqu'un et qui a du mal à marcher. La comtesse soutient l'impératrice, puis la laisse passer. Au bout de quelques secondes, Sissi se retourne et dit, avec une angoisse maîtrisée :

— Maintenant, donnez-moi votre bras... Vite !

On se précipite car elle vacille, s'affaisse doucement, la tête appuyée sur la poitrine de sa dame d'honneur. Élisabeth perd connaissance.

— De l'eau ! De l'eau ! crie Irma Sztaray.

On asperge le visage, si blanc qu'il paraît déjà privé de vie.

— Un médecin !

Il n'y en a pas sur le bateau mais une passagère se présente, Mme Dardalle. Ancienne infirmière, elle s'empresse. Arrive le capitaine du bateau, M. Roux, qu'on a alerté pendant la manœuvre de départ car il n'était plus possible d'attendre. Il sait seulement qu'une femme s'est trouvée mal après avoir été bousculée, mais il ignore son identité. Il conclut :

— C'est sans doute une syncope due à la peur. Et peut-être à cause de la chaleur.

En effet, sur le pont, malgré les voilages de protection, il fait une température accablante. Le soleil et la chaudière se combinent dans une atmosphère de four. Soucieux, le capitaine propose une cabine. Non, dit l'infirmière, il faut absolument de l'air, la passagère respirant avec une grande difficulté. Trois messieurs portent la femme en noir sur le pont et allongent ce corps si léger sur un des longs bancs.

La Hongroise dégrafe les boutons du chemisier mauve, coupe le corset pendant que l'infirmière glisse entre les lèvres de Sissi un morceau de sucre imbibé d'alcool. La bouche s'entrouvre.

Le bateau fait toujours route vers le centre du lac, prenant de la vitesse. Par réflexe, Sissi mange le sucre, puis, ouvrant les yeux, essaie de se redresser.

— Votre Majesté se sent-elle mieux ?

— Oui... Merci...

Malgré ses différents deuils, Élisabeth porte des gants blancs. A 13 h 30, le 10 septembre, elle les enfile.

Un dernier regard sur le quai du Mont-Blanc ; la mort l'attend à 150 mètres...

97

Sur les pas de Sissi

Sur le quai, elle presse le pas : le bateau va partir...

Le hall du Beau-Rivage. Élisabeth a quitté l'hôtel avec sa dame d'honneur pour seule escorte. Obsédée par la volonté de passer inaperçue, l'impératrice a fait supprimer, la veille, la protection de la police suisse.

Elle parvient à s'asseoir.
— Mais qu'est-il donc arrivé ?

Elle ne comprend pas sa situation. La dame d'honneur, à moitié rassurée, répond :
— Votre Majesté a eu un malaise. Mais cela va mieux, n'est-ce pas ?

Pas de réponse. Cette bouche parfaite n'exprimera plus de réponse. La pâleur du visage s'est encore accentuée. La dame en noir a reperdu connaissance...

On achève de délacer Sissi. Sur le corsage de batiste, Irma Sztaray découvre, horrifiée, une tache brune de la taille d'une pièce d'argent. Les mains s'activent, tremblantes de peur. Mon Dieu... Si... La vérité apparaît : au-dessus du sein gauche, les deux femmes découvrent une blessure qui a

la forme d'un minuscule triangle et une goutte de sang séché. Un caillot !
— Seigneur, s'écrie la Hongroise, elle a été assassinée !

Le capitaine accourt.
— Pour l'amour du ciel, je vous en prie ! crie la suivante. Vite, accostez ! Cette dame est l'impératrice d'Autriche. Elle a une grave blessure à la poitrine... Je ne puis la laisser mourir sans médecin et sans prêtre. Accostez à Bellevue : je l'amènerai à Pregny, chez la baronne de Rothschild...
— Vous n'y trouverez pas de médecin, réplique M. Roux.

Et, sur-le-champ, il donne l'ordre de remettre le cap sur Genève. La barre à bâbord, toute !

Comme il n'y a pas de civière sur le bateau, on en improvise une avec de la toile à voile, des pliants, des cordages et deux rames de chaloupe. La blessée râle, le visage perlé de sueur, le regard déjà voilé. La comtesse, désespérée, prie à ses pieds ; d'autres femmes se sont agenouillées et les hommes se tiennent à l'écart, chapeau bas comme dans un ultime respect pétrifié. Enfin, le bateau accoste. Six marins portent la civière. Le concierge de l'hôtel, qui n'avait pas quitté l'embarcadère, a un geste touchant : avec son chapeau, il protège le visage de la souveraine du soleil qui ne le teint plus que d'une affreuse blancheur. Un visage qui, au rythme des pas rapides, oscille de droite à gauche comme s'il disait non à la mort. Sissi livre son dernier combat, celui qu'on finit toujours par perdre. En marchant, M. Planner tient la main de la souveraine « afin qu'elle ne pende pas misérablement ». Un monsieur, bouleversé, porte son ombrelle. Voici l'atrium du Beau-Rivage. « L'affolement était à son comble. La tristesse et la consternation se lisaient sur tous les visages », écrit Mme Mayer.

La civière n'entre pas dans l'ascenseur, l'un des premiers installés dans un palace genevois. Le cortège s'engouffre dans l'escalier. On étend Sissi sur son lit. Elle est immobile, inconsciente, d'une tragique beauté. Des médecins arrivent, essoufflés. Le premier, le Dr Golay, tente de sonder la plaie. Il est 2 h 10.
— Y a-t-il un espoir ? lui demande, dans un souffle, Irma Sztaray.
— Aucun, Madame... Hélas.

Mme Mayer et une nurse, une Anglaise, aident à déshabiller la mourante et à la déchausser. Un prêtre arrive et donne l'absolution à celle dont le plus grand péché avait sans doute été de vouloir être elle-même. Toutes les femmes sont agenouillées et prient. Avec ses volets clos qui barrent l'entrée du soleil, la chambre est une antichambre de deuil. Dehors, il y a la vie... Un second médecin tente l'impossible en incisant l'artère du bras gauche mais aucune goutte de sang ne se forme sur la peau claire.

LYON

RÉPUBLICAIN

Supplément Illustré

HUIT Pages : CINQ centimes.

ABONNEMENTS

SIX MOIS | UN AN
France, Algérie, Tunisie.. 2 » | 3 50
Étranger (Union postale).... 2 50 | 5 »

ANNONCES

Pour la Publicité, s'adresser :
A Lyon : Rue Childebert.
A Paris : Place de la Bourse.

1re Année. No 33. Dimanche 25 Septembre 1898. ADMINISTRATION : 6, rue Childebert.　Paraît chaque semaine.

ASSASSINAT DE S. M. L'IMPÉRATRICE D'AUTRICHE A GENÈVE

L'un des hommages à
Sissi: la une du Petit
Journal, le 25 septembre
1898.
A gauche: l'assassin Luigi
Lucheni.

A 2 h 40, l'impératrice d'Autriche et reine de Hongrie rend son âme tourmentée à Dieu. Son agonie a duré une heure. Sissi était dans sa soixante et unième année, ce que les médecins ont du mal à croire tant son corps avait échappé aux empâtements de l'âge. Sissi est morte sans avoir repris connaissance, frappée au milieu des mouettes du lac auxquelles il lui plaisait de s'identifier.

Par une dernière courtoisie, la mort colore un peu ses joues, et ses lèvres esquissent un vague sourire, ce sourire qui, par sa rareté, avait ému des millions d'hommes et de femmes. Le recueillement emplit l'appartement, l'étage, puis tout l'établissement. Clients et personnel demeurent stupéfaits de cette incroyable tragédie, si injuste, si rapide. «La comtesse Sztaray lui ferma les yeux et lui joignit les mains», note Mme Mayer, qui ajoute: «Je restai avec la comtesse Sztaray jusqu'à l'arrivée de la suite qui vint vers les 6 heures. L'impératrice fut embaumée et mise dans un cercueil. Le soir, la comtesse me fit demander ainsi que mon mari et me donna une rose qu'elle prit du cercueil et que je garde précieusement ainsi qu'un petit bout de ruban mauve taché de sang. Aujourd'hui, le sang a disparu.» Mme Mayer conclut son émouvant récit, rédigé juste après la Seconde Guerre mondiale, par ces mots: «Le drame a eu lieu il y a cinquante ans mais le souvenir m'en est resté comme s'il avait eu lieu hier.»

Comment ne pas comprendre cette réflexion? Aujourd'hui, bien que l'événement appartienne au XIXe siècle, la fin de notre siècle témoigne de la vivacité de certains souvenirs. La mort de Sissi est l'une des plus pathétiques de l'Histoire et elle

A l'endroit où Sissi a été agressée, à l'angle du quai du Mont-Blanc et de la rue des Alpes,

légèrement en contrebas de la balustrade, une plaque commémore la tragédie.

L'arme du crime: le meurtrier l'a fabriquée en enfonçant une lime triangulaire dans un manche de bois.

Le vapeur « Genève ».

est encore très proche par la personnalité de la victime. Mme Mayer ne croyait pas si bien écrire : en effet, le 5 mai 1984, on apprenait, de manière tout à fait fortuite — à cause d'un embouteillage qui avait détourné une ambulance —, qu'une Genevoise, témoin de l'assassinat, vivait toujours !

Il y avait encore quelqu'un qui pouvait dire, quatre-vingt-six ans après le régicide, qu'il avait vu chanceler ce corps légendaire sous le coup du meurtrier. Mme Lucie Dunner, née le 5 mai 1884

dans le canton de Fribourg, avait quatorze ans le jour du drame. Elle était alors apprentie dans la maison de couture tenue par une Française, Mme Auberge, qui habillait les dames de la bonne société de Genève. En ce début d'après-midi, le 10 septembre 1898, l'adolescente — alors Mlle Custoni — avait vu, par une fenêtre ouverte, l'assassinat qui allait émouvoir le monde. Et le jour de ses cent ans, elle s'en souvenait encore fort bien, alors qu'elle était convalescente à l'hôpital cantonal pour une fracture du col du fémur.

Assassinat de l'Impératrice d'Autriche
LA VICTIME TRANSPORTÉE A L'HOTEL

Et c'est en passant quai du Mont-Blanc, alors que ce trajet en ambulance n'était pas prévu, qu'elle révéla ses impressions insoupçonnables.

Ce même 10 septembre, au début de l'après-midi, l'empereur écrit à son épouse lointaine. Comme souvent, ses premiers mots pour elle sont en hongrois car il sait combien ils lui feront plaisir : «Edes Szererett leckrem» («Mon âme douce et aimée»). Il se dit heureux d'avoir de bonnes nouvelles de la voyageuse, de savoir que l'appartement et le temps lui conviennent. Ses derniers mots : «Je te confie à Dieu, mon cher ange et je t'embrasse de tout mon cœur. Ton petit.»

Cachetée, la lettre part immédiatement par courrier spécial, mais Sissi ne la lira jamais. Ses yeux se sont fermés à jamais sur les injustices et les mesquineries du monde.

Il est 4 heures et demie lorsque le comte Paar, aide de camp, arrive de la Hofburg. Bouleversé, pâle, il demande à être reçu d'urgence. Il tient une dépêche, expédiée de Genève, dont le texte est bref : «Sa Majesté l'Impératrice grièvement blessée. Prière annoncer à l'empereur avec ménagement.»

Mais comment? Absorbé par son travail, François-Joseph lève la tête, surpris que le comte Paar, d'ordinaire très maître de lui, paraisse si ému :

— Qu'y a-t-il donc, mon cher Paar?

— Sire... Votre Majesté ne pourra pas partir ce soir. Je viens de recevoir une très mauvaise nouvelle...

D'un bond, le souverain est debout et crie :

— De Genève?

Et il arrache le télégramme à l'officier, recule en chancelant puis se ressaisit :

— Eh bien! D'autres nouvelles doivent arriver. Télégraphiez! Téléphonez! Il faut absolument en savoir plus!

A ce moment, dans le couloir, des bruits de pas se rapprochent. L'aide de camp de service se présente, au garde-à-vous, tenant une seconde dépêche. François-Joseph se précipite et lit le terrible message : «Sa Majesté l'Impératrice vient de décéder.»

Figé par l'effroi, le pauvre homme reste immobile, puis s'effondre dans son fauteuil. Son front dégarni disparaît dans ses mains. Il pleure. D'une voix neutre, comme s'il se parlait à lui-même, il dit entre deux sanglots :

— Rien ne m'est épargné sur cette terre...

Revêtue de sa robe noire, celle que sa dame d'honneur appelait sa «belle robe», et d'un chemisier assorti, Sissi repose. Sa tête, recoiffée, s'appuie sur un petit coussin brodé de rouge, de blanc et de noir. Au moment où elle a été agressée, l'épouse de François-Joseph, qui mélangeait religion et superstition, accumulait les porte-bonheur sacrés et profanes, portait deux médail-

Pendant qu'on ramène l'épouse de François-Joseph qui agonise, Mme Mayer fait appeler un médecin d'urgence. Sissi est si pâle...

Par l'escalier, on monte la civière jusqu'au premier étage, à la chambre 34-36.

lons. L'un contenait des cheveux de Rodolphe, l'autre, plus simple mais en or, renfermait le texte d'un psaume que j'ai eu le privilège de tenir dans mes mains. Il avait été donné à la reine par le primat de Hongrie, Mgr Hyacinthe de Ronay, après sa chute de cheval à Sassetot-le-Mauconduit. Sur une mince feuille, pliée en huit, on peut lire des versets du psaume 90, livre quatrième, de l'Ancien Testament. Il s'agit d'une prière de Moïse à Dieu :

« ... Tu fais rentrer les hommes dans la poussière, et tu dis... Fils de l'Homme, retournez ! »

Le tueur a vingt-cinq ans, un air arrogant et fier de son acte. Il se nomme Luigi Lucheni. Né à Paris d'une mère italienne, il n'a pas connu son père. Maçon, manœuvre, il a été valet de chambre d'un prince et accusé de vol. L'assassin de Sissi se dit anarchiste. Entre deux gendarmes, il sourit sous son chapeau rond. Lorsque, en début d'après-midi, il est interrogé par M. Charles Léchet, juge d'instruction, le magistrat ignore que l'illustre victime a succombé. Quand la vérité est connue, Lucheni n'a qu'un cri : « Vive l'anarchie ! » Et il est certain de rejoindre la lignée, glorieuse, évidemment, des illuminés comme Jacques Clément ou Ravaillac et autres régicides paranoïaques qui entrent dans l'Histoire par un crime, qu'il s'agisse d'un complot ou de l'acte isolé d'un dément.

L'impératrice est déposée sur son lit. On attend le médecin. Une veillée s'organise dans la chambre (porte de gauche) et son salon (porte de droite). Une dépêche est envoyée à l'empereur, à Vienne, et à son ambassadeur, à Berne. On craint le pire.

Samedi 10 septembre 1898, un peu avant 3 heures de l'après-midi, la souveraine d'Autriche-Hongrie succombe à sa blessure. Sa dame d'honneur prie. Mme Mayer a déposé des fleurs aux pieds de la défunte. Pendant encore une heure, François-Joseph ignore l'atroce vérité.

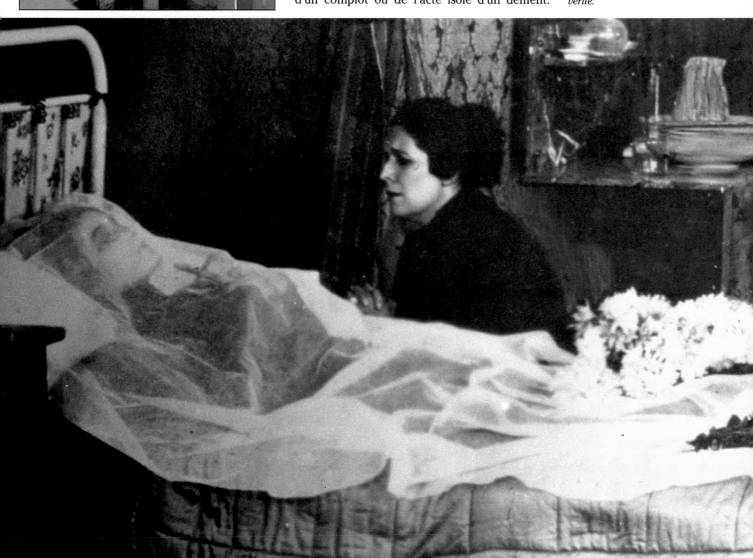

Lucheni est arrivé à Genève cinq jours plus tôt, ayant trouvé un emploi sur le chantier de la grande poste, en construction. On soutiendra, plus tard, qu'il avait assisté à une réunion d'anarchistes — bien que ces concepts semblent antinomiques — qui aurait décidé la mort de la souveraine. Pour faire un exemple... Cette version paraît douteuse. D'une part, la présence de l'impératrice à Genève n'a été annoncée par la presse que le matin du 10 septembre, d'autre part, le meurtrier ne paraissait guère fixé sur l'identité de sa victime et il aurait envisagé de tuer soit le duc d'Orléans, prétendant au trône de France mais qui est déjà reparti pour le Valais, soit le président de la République française.

— Je m'étais juré de tuer n'importe quelle personne haut placée : roi, prince, président, ils sont tous pareils...

Une polémique, feutrée et tenue secrète jusqu'en 1983, au moment de la publication de la biographie que j'ai consacrée au même personnage, montre, grâce aux archives de la famille Mayer, qu'on a mis en doute la rapidité et la qualité des soins prodigués à la blessée. Parmi les nombreuses interrogations de la presse européenne, la dépêche, envoyée de Londres par l'agence Central News, accuse Mme Mayer en ces termes : «... Quelques télégrammes touchant assassinat impératrice semblent montrer manque de soins direction votre hôtel, ce qui empêcha impératrice être sauvée. Veuillez nous télégraphier faits exacts qui seront publiés tous journaux Angleterre. » Dans ce genre de tragédie, la recherche des responsabilités policières et médicales est inévitable. Songeons aux sinistres redites qui s'appellent Sarajevo, Marseille (attentat contre le roi Alexandre de Yougoslavie, en 1934) ou Dal-

Dans l'après-midi, une chapelle ardente est dressée au Beau-Rivage. Genève est paralysée par la stupéfiante nouvelle. Les autorités et la population sont choquées par le cynisme joyeux de l'assassin qui répète : « Vive l'anarchie ! »

Le 12 septembre, le corbillard et le cortège, qui se dirigent vers la gare de Cornavin où attend le train spécial, passent devant l'endroit de l'assassinat. En signe de deuil, tous les commerces sont fermés et la navigation sur le lac interrompue.

las (mort du président Kennedy, en 1963). Légitimement émue, Mme Mayer répond dans son journal : « ... L'épanchement de sang se manifestait par une tache allant grandissant. Aujourd'hui, l'opération consistant à refermer le cœur pourrait se faire mais, en 1898, il n'en était pas question, et encore, il aurait fallu demander l'autorisation de l'empereur. »

Un respect du protocole pour tenter de sauver celle qui l'exécrait...

Tout l'Empire est choqué mais, visiblement, c'est à Budapest que la douleur est le plus profondément ressentie. Les Hongrois ont perdu leur reine, leur avocate, leur alliée, celle qui, deux ans plus tôt, avait tenu à assister aux fêtes marquant le millénaire de la Hongrie.

— Oui, ils peuvent pleurer, note François-Joseph. Ils ne savent pas quelle amie ils ont perdue en leur reine...

En présence de plus de cinquante chefs d'Etat, rois, princes, présidents, les obsèques d'Élisabeth-Erzsébet se déroulent à Vienne, dans un climat de grandiose effondrement. Le monde, en effet, a perdu un de ses êtres merveilleux car ils sont, de leur vivant, légendaires. Cette légende sera encore amplifiée par l'arrêt brutal, inattendu, de cette vie mystérieuse, entourée de commérages et de jalousies, mais aussi d'allure et d'indépendance. Car Lucheni s'est trompé, grossièrement trompé. Il croyait tuer un être vivant, il a aidé une survivante à mettre un terme à son calvaire. Sissi, depuis longtemps, attendait la mort. N'avait-elle pas dit, consciente que son instabilité martyrisait son mari, que si le ciel la prenait, François-Joseph serait plus tranquille avec Mme Schratt ? N'avait-elle pas annoncé que sa vie « s'en irait par une toute petite ouverture dans le cœur » ? Le meurtrier a soulagé la femme meurtrie par une vie bouleversante, unique. Son inconscience a été le courage qui manquait à Élisabeth pour affronter l'au-delà. Et le pauvre garçon s'est encore trompé en croyant accomplir un geste politique. Il n'a été considéré que comme un criminel de droit commun — infamie pour un anarchiste —, jugé comme tel et condamné comme tel. Il a fini par se pendre, dans la prison de l'Évêché, en 1910. Et, en 1986, sa tête, conservée à l'Institut de médecine légale à Genève, a été donnée à l'Autriche, par on ne sait quelle obstination macabre, sans que sa notoriété connaisse un sursaut.

En revanche, est-il besoin de redire combien le personnage de Sissi n'a cessé — et ne cesse — de faire rêver, d'agacer, de surprendre et d'intriguer ? Dans la crypte des Capucins, à Vienne, au milieu de cent treize hauts personnages de la dynastie des Habsbourg, Élisabeth est au côté gauche de François-Joseph, lui-même voisin de leur fils unique Rodolphe. Longtemps, cette nécropole impressionnante a été peu fréquentée

par les touristes, plus préoccupés de valses et de haute école. Mais, depuis le 1er avril 1989, c'est-à-dire depuis les obsèques de l'impératrice Zita qui ont rassemblé une foule dense et recueillie, la crypte ne désemplit pas et les groupes perturbent le repos éternel. A quelques mètres de Sissi, la femme admirable qui lui succéda, Zita, ultime impératrice d'Europe, attend que son époux, Charles Ier, la rejoigne de Madère où il repose en exil. Et je ne puis m'empêcher de songer à cette réflexion que me fit S.M. Zita en me recevant la veille de son retour à Vienne, le 10 novembre 1982. Puisqu'elle avait eu la lourde mission — entre autres — de succéder à la belle Élisabeth, dix-huit ans après le drame de Genève, je lui demandai son opinion sur le mythe de Sissi.

Sa réponse fut sans hésitation :
— Elle a été tellement critiquée que, même quand elle avait raison, on lui donnait tort.

Le cinéma, le tourisme, la connaissance historique et la curiosité féminine ont réhabilité Sissi. A sa manière, qui n'a jamais été conformiste, elle règne toujours.

Inédit : une dépêche télégraphique, signée de l'impératrice Zita, qui succéda à Sissi en 1916. La dernière souveraine austro-hongroise y déplore la légèreté de ton d'un officier...

Au Beau-Rivage, la famille Mayer conserve d'émouvants souvenirs de Sissi au moment de sa mort : des fleurs séchées, un ruban de soie taché de sang, un jabot de dentelle.

L'entrée de l'hôtel aujourd'hui. La façade a peu changé depuis 1898.

Inédit : les pages du journal de Mme Fanny-Louise Mayer, directrice de l'hôtel au moment du drame. Elle l'écrit après la Seconde Guerre mondiale : «Le drame a eu lieu il y a cinquante ans, mais le souvenir m'en est resté comme s'il avait eu lieu hier.»

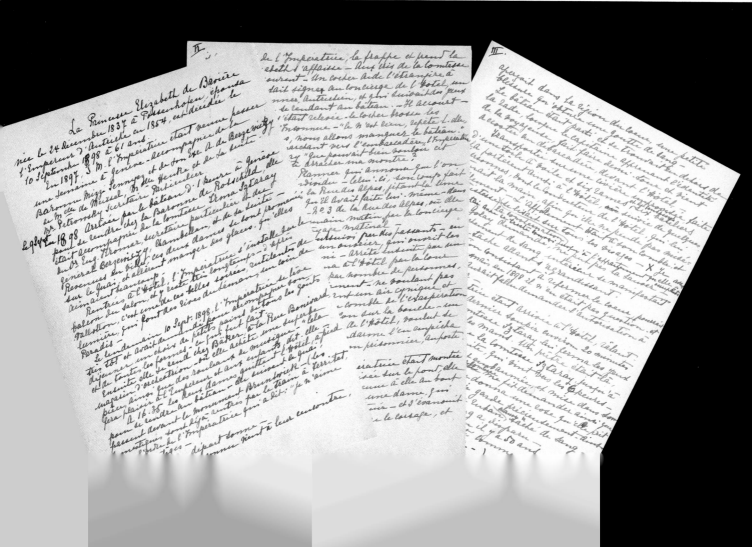

Sissi

R arement, le cinéma aura-il autant contribué à faire connaître un personnage historique. En marge de la vérité, complexe, du destin de l'impératrice et reine, une nouvelle «légende» s'est forgée à partir du succès des films de la série des *Sissi*. Et, pour des millions de spectateurs et de téléspectateurs, la confusion de deux mythologies, celle de la souveraine et celle de l'actrice, est le plus heureux des mariages constatés au pays des usines à rêves, le septième art.

Il faut être franc : aujourd'hui encore, cette inusable série divise partisans et opposants, les premiers étant largement majoritaires. Pour eux, la révélation de Romy Schneider n'est pas un hasard ; la jeune actrice autrichienne, née l'année de l'Anschluss et dont la mère, célèbre comédienne sous le nom de Magda Schneider, est d'origine bavaroise, était destinée à incarner Sissi. Elle en a le charme, la fraîcheur, la gaieté sinon les exactes mensurations. Il y a, chez celle que nous appellerons Romy pour mieux respecter l'identification à Sissi, une précocité digne de son modèle. De son vrai nom Rosemarie Albach Retty, Romy débute à quinze ans, avec sa mère, en 1953. Voilà des signes qui ne trompent pas : c'est l'âge où Élisabeth revoit François-Joseph et le séduit sans le savoir et cette première apparition se situe exactement... cent ans après les fiançailles des deux cousins.

L'inventeur de Sissi-Romy est, précisément, un cinéaste autrichien. Ernst Marischka, né alors que la vraie Sissi a encore cinq ans à vivre, est un vieux routier ; scénariste fécond et metteur en scène attaché, notamment, à l'illustration du patrimoine musical autrichien, il représente, dans les années 1950, une valeur sûre de la romance. Au bord de la soixantaine, Ernst Marischka va apporter à l'Autriche renaissante, neutre et républicaine, un éloge de son passé impérial et royal qui est un véritable album de famille. Couleurs peu nuancées, l'Agfacolor de l'époque étant, comme les autres pellicules, un laboratoire de cartes postales criardes. Il ne faut jamais oublier le contexte historique qui prélude à la naissance de la trilogie des *Sissi*, complétée, plus tard, de fort différente manière, par Luchino Visconti. En effet, l'Autriche ne recouvre son indépendance qu'en 1955 et les quatre puissances d'occupation (USA, URSS, France, Royaume-Uni) n'acceptent de retirer leurs troupes que contre la certitude diplomatique que plus personne ne songerait à annexer ce charmant pays, réduit au neuvième de sa superficie d'avant l'autre conflit, la Grande Guerre. Le cinéma fabriqué à Vienne renaît en même temps ; ce qu'il va nous envoyer (et qui fera le tour du monde) ne peut évoquer l'histoire immédiate, à la manière du fascinant *Troisième Homme*. Il nous adresse ses anciens trésors en 35 mm, à savoir des paysages reposants et fleuris, des pâtisseries fines et onctueuses, une musique d'opérette et de bals, un roman d'amour à faire verser des torrents de larmes.

Le talent de Marischka est de remarquer combien la jeune Romy ressemble à Élisabeth. Il va, pourtant, si je puis l'écrire, rôder la couronne impériale portée par Romy sur la tête d'une autre grande dame de l'Histoire, la reine Victoria. Romy Schneider est donc la vedette du film *les Jeunes Années d'une reine* (1954), bien éloignée de l'image classique de la digne et vénérable impératrice des Indes, petite, ronde et toujours en noir.

Le premier *Sissi* date de l'année suivante, 1955. A un an près, Romy a l'âge de Sissi. Quel bol d'air ! On respire les fleurs des champs ; on sent le gâteau aux pommes et l'encaustique des maisons bien tenues. Dans l'Europe ravagée et encore trop grise de l'après-guerre, *Sissi* est la première invitation au voyage au pays des mythes qui, eux, sont indestructibles. A signaler deux remarques : d'abord, les scènes figurant la vie familiale en Bavière, au château de Possenhofen, ont, en fait, été tournées en Autriche, entre Salzbourg et Bad Ischl, au bord du lac Fussl. La maison, carrée et admirablement située, ancienne résidence épiscopale, avait appartenu à Ribbentropp, le ministre des Affaires étrangères de Hitler. C'est aujourd'hui un hôtel somptueux doté d'une table excellente. Ensuite, Maria Schneider joue son propre rôle de mère dans le personnage de Ludovika, et le jeune François-Joseph, joué par Karl Heinz Bohm et qui aura, lui aussi, du mal à se débarrasser de l'uniforme rouge et blanc des Habsbourg, est le fils du très réputé chef d'orchestre Karl Bohm, fin connaisseur de Mozart et, bien entendu, l'un des maîtres du festival de Salzbourg.

Comme l'on sait, nous étions des millions à fêter cette rencontre de l'Histoire avec une actrice, inconnue en France mais qui, à son cinquième film, était devenue une star. Ernst Marischka avait réussi à faire passer sa bonne humeur et son esprit dans le conte de fées. La reconstitution est très fidèle parce que le metteur en scène est autri-

Sissi impératrice

chien. Cet aspect soigné, authentique, explique certainement une part de son succès. En fait, un triomphe. Les recettes dépassent celles, considérées comme le sommet du genre, d'*Autant en emporte le vent*. L'Europe s'enthousiasme pour *Sissi* qui voyage dans plusieurs langues et fait voyager sa vedette partout, à la manière de son personnage. Romy Schneider ne le sait pas encore : elle « est » Sissi, étincelante princesse de l'écran.

Régnant dans le cœur des spectateurs européens, Sissi-Romy ne peut disparaître sur un caprice. L'affaire est juteuse et doublement sympathique puisqu'elle trace les grandes lignes d'un destin exceptionnel et qu'elle confirme la santé, d'un cinéma capable de refabriquer des stars comme avant guerre. Tout le monde y trouve son compte. Ernst Marischka propose immédiatement à l'équipe de tourner une suite, naturellement appelée *Sissi impératrice*. Après le premier épisode, très *Auberge du Cheval blanc* (comparaison nullement péjorative sous ma plume, au contraire...), le second chapitre montre les obstacles que l'impératrice connaît dans son épanouissement à cause du protocole, de l'étiquette et, surtout, de sa belle-mère.

Il semble que Romy soit déjà un peu moins amusée par le personnage et, comme lui, supporte un peu moins facilement les contraintes. Le cinéma a les siennes, comme la vie de cour. « Il lui faudrait encore transpirer sous ses robes et porter cette maudite perruque pesant six kilos, source de migraines », écrit Catherine Hermary-Vieille, biographe de *Romy*, livre paru en 1986. Réalisé en 1956, *Sissi impératrice* avance avec prudence dans la chronologie. Pas question de tout raconter cette fois encore ; on peut en laisser pour un éventuel épisode suivant, si le deuxième a autant de succès que le premier... Le titre en allemand est plus révélateur que le français : *Die Junge Kaiserin*, « la jeune impératrice ». On pourra peut-être la faire vieillir au cinéma...

Le succès s'amplifie et confirme la notoriété de Romy Schneider dont la presse commence à guetter les battements de cœur. Romy est couchée sur le papier glacé des magazines, emplit l'objectif de photographes encore discrets. Elle est célèbre. Mieux : on commence à la reconnaître. Afin

Romy SCHNEIDER et Karlheinz BÖHM
SISSI IMPÉRATRICE
MAGDA SCHNEIDER   G. KNUTH   VILMA DEGISCHER   JOSEF MEINRAD
Un film de ERNST MARISCHKA   Couleurs par AGFACOLOR

d'éviter tout dérapage dans une carrière prometteuse, sa mère suit les choses de près, choisit les scénarios qui commencent à arriver par piles. Romy est fatiguée par un rythme de travail sévère. Car, en dehors des *Sissi* qui nous intéressent ici, elle tourne d'autres films, quatre entre *Sissi* et *Sissi impératrice*. C'est beaucoup et fatigant. Elle semble multiplier les contrats comme les amourettes, les flirts, et se retrouve prise au même piège qui avait brisé Élisabeth d'Autriche, l'impossibilité d'être seule, surtout seule avec celui qu'elle aime, à l'époque l'acteur Horst Buchholz, souvent appelé le «James Dean allemand». Les courtisans de Romy s'appellent des paparazzi. Ils commencent à l'épier comme on épiait l'impératrice, guettant ses fautes qui la rendraient plus humaine, moins inaccessible. Remarquons, en passant, que pendant cette période elle tourne *Kitty* avec Karl Heinz Bohm. Une manière de jouer sur les mots en préservant le «couple impérial» et en l'exportant. En même temps, l'osmose entre Romy et l'univers historique de ses deux films, lui apportant la gloire, se précise. On a du mal à croire (et c'est pourtant vrai) que lors d'une présentation à Madrid, Romy Schneider soit descendue de l'avion comme une star, c'est-à-dire happée par une meute de photographes avant de

disparaître dans une limousine alors que, du même appareil, un homme que la foule n'attend pas et ne reconnaît pas, fait l'arrivée la plus discrète qui soit, à l'image de sa vie. Conférencier remarquable et grand européen, cet homme est l'archiduc Otto de Habsbourg, le chef de la Maison d'Autriche. N'est-ce pas ahurissant que, dans le même avion, celle qui incarne Sissi et celui qui est son descendant, l'impératrice de cinéma et celui qui serait empereur si la monarchie n'avait pas été abolie se croisent à ce point ? Il y a des moments où le hasard exagère...

En 1957, le succès de la série est encore consolidé par le troisième volet qui porte le titre *Sissi face à son destin* et semble annoncer que l'on en restera là de ce feuilleton à grand spectacle. C'est le douzième film de Romy Schneider en cinq ans et son nom est maintenant un gage de succès. La production ne lésine pas sur les lieux de tournage : Venise, l'Adriatique pour Madère et Corfou. Seul un obstacle politique, un passé récent et le rideau de fer bien opaque (l'insurrection de Budapest vient de bouleverser le monde) empêchent l'équipe de tourner en Hongrie les scènes hongroises. Ernst Marischka plante ses caméras à la frontière orientale de l'Autriche, la province

Page 111 :
Magda Schneider et Romy : mère et fille à la ville et à l'écran.

1956 : le deuxième épisode connaît un succès encore plus grand que le premier.

Femme et souveraine, mais toujours juvénile, Sissi fait battre les cœurs de millions de spectateurs et de François-Joseph.

Les caméras du metteur en scène Ernst Marischka montrent l'intérêt de Sissi pour la Hongrie. En réalité, les scènes de couronnement sont tournées à la frontière orientale de l'Autriche.

Sissi
face à son destin

Une superbe image de Romy impériale et royale. Elle annonce la gravité et le désenchantement que Luchino Visconti donnera au personnage quinze ans plus tard, après un silence qui sera beaucoup critiqué.

Page ci-contre : Sissi-Franz : complices et prisonniers de leurs rôles dont ils aimeraient s'échapper.

1957 : le troisième et dernier épisode consacre le phénomène Sissi, acclamé par sept millions de spectateurs en trois ans.

L'identification Romy-Sissi est complète : on édite des cartes postales et des photos. Les portraits de l'actrice sont tirés à des millions d'exemplaires. On espère la suite...

Le couple impérial affronte les épreuves de la politique européenne et des drames de famille.

du Burgenland, déjà plate comme la Puzsta ; la géographie se moque de l'Histoire et des frontières artificielles. Avec ce dernier film, on doit s'interroger sur la valeur historique de leur contenu. Lisons le résumé du scénario relatant les nouvelles aventures des souverains autrichiens : « [...] leur union est heureuse et leur petite fille a maintenant quatre ans. » Union heureuse ? C'est beaucoup dire, mais le cinéma d'avant les années 60 ne se permet pas d'aller au-delà des insinuations pour tous publics et, pour une génération de fillettes, les malheurs de Sissi seront déjà assez pénibles et tristes.

En effet, le scénario omet d'évoquer le drame qui va marquer toute la vie de l'impératrice : la mort de son premier enfant, la princesse Sophie, le 29 mai 1857. D'autre part, quand le film nous dit que « leur petite fille a maintenant quatre ans » et que les auteurs se placent, en référence au voyage difficile en Italie, donc à la fin de 1856 et au début de 1857, ils commettent une grave erreur historique : leur seconde fille, Gisèle, est née le 12 juillet 1856 ; elle a donc, au maximum, neuf mois et non quatre ans... Une bonne partie de cet épisode est donc boiteux. Toutefois, ne soyons pas trop négatifs sur ces films, monuments du cinéma dans un genre aujourd'hui, hélas, disparu. Les invraisemblances et les manipulations des dates ne sont pas trop graves quand l'authenticité psycho-sociologique est préservée. Elle l'est. Ne disons pas, non plus, que ces films ne donnent qu'une pâle idée de ce que fut la vie de l'impératrice. Ces trois réalisations sont proches d'une facette d'un personnage contrasté ; ils n'en montrent qu'une, la plus souriante, sans doute, avec un optimisme qui pouvait aider les Autrichiens entraînés dans la Seconde Guerre mondiale à reprendre l'espoir. Le principal défaut de ces longs métrages reste, me semble-t-il, d'être incomplets. En trois fois une heure quarante, il

était difficile de raconter une existence très riche. De nombreux aspects devaient en être gommés, du drame d'une mère accablée par le malheur répété (Mayerling) au rôle politique, diffus mais réel, d'une souveraine que les adversaires de son époux jugeaient avec indulgence et, finalement, une respectueuse affection. Dans le fond, il manque un épisode, essentiel, qui montrerait les aspects moins superficiels du personnage et ses combats divers, souvent d'avant-garde, menés avec un profond esprit d'indépendance. On découvrirait alors un film moins simplifié, bien qu'amplifié, sur le registre de l'opérette alpestre. Un feuilleton de télévision serait, aujourd'hui, la

bonne mesure mais il exigerait de tels moyens qu'on peut douter de sa possibilité. Pourtant, quelle idée européenne !

A peine achevé le tournage, Romy veut, définitivement dit-elle, remiser son manteau de cour et se glisser dans la peau d'autres personnages. Et elle commence les prises de vues de *Jeunes filles en uniforme,* nouvelle version d'un classique allemand de 1931. Ensuite, elle enchaîne avec *Christine,* remake de *Libelei* dans lequel sa mère s'était illustrée. Dans ce film du Français Pierre Gaspard-Huit, elle rencontre Alain Delon. Sa vie et sa carrière allaient connaître un nouvel élan, notamment en France et en dépit de quelques retours au romanesque historique, comme *Katia* ou *la Belle et l'Empereur.* Peu importe : en 1958, Romy est triplement Sissi, la « petite fiancée de l'Europe ». Romy Schneider est devenue une vedette internationale, elle a quitté les montagnes et les sucreries viennoises et deux films français

l'ont arrachée aux rôles du passé pour la plonger dans la vie moderne, *la Piscine* et *les Choses de la vie*. Elle répète volontiers à ceux qui réclament son retour dans la nostalgie austro-hongroise : « A chaque film, une autre femme, un autre monde, c'est ma devise. J'aurais pu refaire dix *Sissi*. Mais, déjà, à cette époque, ça m'était impossible. »

Seul un géant, géant du talent et de la séduction, peut la faire changer d'avis. L'événement se situe au festival de Cannes 1971 ; Romy est choisie pour remettre à Visconti une récompense honorant son œuvre. Elle en est ravie et, comme par hasard, ils sont voisins de souper. Visconti lui fait part de son projet de tourner la vie excentrique et étonnante de Louis II de Bavière. Un roi qui, entre autres caractéristiques, était le cousin d'Élisabeth... Élisabeth ! Encore elle... Romy croyait en avoir fini et Visconti ose ressasser ce cliché de roman-photo... Non, justement. Visconti ne lui propose pas d'incarner Sissi mais, au contraire, Élisabeth, l'impératrice mûre et la femme désenchantée, ce qui est fort différent. En somme, une Élisabeth qui a été meurtrie par les « choses de la vie ». Encore assommée et, en fait, heureuse de retrouver son personnage magnifié par Visconti, elle accepte, d'autant plus qu'elle traverse diverses crises personnelles. Le tournage, sur les lieux mêmes de l'opéra fantastique qu'est la vie du roi, commencé dans l'hiver 1972, se révèle épuisant, y compris pour le grand metteur en scène, déjà malade. Mais, pour Romy, cette « rencontre » avec Élisabeth est, dans l'évolution qu'est la maturité, la seule vraie. Admirablement dirigée et photographiée, Romy est d'une grave beauté. On se dit qu'il était impossible de trouver actrice plus ressemblante à son modèle. Les scènes entre le roi (Helmut Berger, hallucinant de réalisme) et elle, qui sont tournées à la Kaiservilla, demeureront un morceau d'anthologie montrant la dérive de deux être troublants et troubles. Esthétiquement et psychologiquement, le film est un chef-d'œuvre qui a été heureusement complété par un nouveau montage, définitif, en 1983, comprenant des scènes odieusement coupées à la sortie. Même si Visconti insiste, comme toujours, sur la décadence et l'hypothèse de rapports charnels entre les deux cousins, théorie non conforme à la vérité de l'Histoire, *Ludwig* est un monument du cinéma en même temps que le plus fabuleux regard posé sur une héroïne par une actrice.

Lorsque Romy, poursuivie elle aussi par une fatalité qui fera mourir son fils dans des conditions atroces, perdra goût à la vie, on ne manquera pas d'établir un sombre parallèle entre les deux femmes. Bien qu'indécente, cette confusion était, sans doute, inéluctable. Il faut donc ne pas oublier que Romy Schneider, grâce à ce quatrième et dernier film sur le sujet, a pu donner enfin la mesure d'un talent jadis occulté par l'eau de rose sur pellicule.

Le cinéma se nourrit de mythes et il en confectionne d'autres. Comme les foules de spectateurs et les peuples. Le personnage d'Élisabeth d'Autriche a été plusieurs fois sollicité par les producteurs, scénaristes et metteurs en scène, au moins dans une vingtaine de films. Citons, par exemple, le *Mayerling* d'Anatole Litvak (1936) qui obtint un succès considérable. Si Charles Boyer est un archiduc Rodolphe trop empâté, Gabrielle Dorziat est une digne impératrice. Les Français ne connaissent sans doute pas le film *Prinzessin Sissi* (« Princesse Sissi ») de Fritz Thiery (1938) avec Traudl Stark dans le rôle titre. Mais il n'y a pas que les films germaniques, autrichiens ou allemands, qui soient inconnus, voire oubliés. Un film français fort intéressant de Jean Delannoy, *le Secret de Mayerling* (1949, présenté au festival de Venise) montre une version du drame qui prend parti pour un assassinat, et un assassinat politique. Le rôle d'Élisabeth est campé, avec beaucoup d'autorité, par Marguerite Jamois. Ce film, dont le contenu dérangeait à l'époque de sa sortie, continue visiblement à déranger : je n'ai jamais pu obtenir qu'il soit diffusé à la télévision malgré une actualité récente (les déclarations et accusations de l'impératrice Zita) et une qualité d'interprétation et de reconstitution louables. On s'en tient, en France, soit au film d'Anatole Litvak, soit à celui de Terence Young, *Mayerling* (1968) dans lequel Catherine Deneuve, malgré sa très grande beauté et une fraîcheur réelle, est le contraire de la malheureuse Marie Vetsera. Quant à Omar Sharif, il est moins convaincant que Jean Marais en Rodolphe, précisément, dans le film de Jean Delannoy. Terence Young, père des premiers *James Bond*, avait choisi la sublime Ava Gardner pour être Élisabeth. *La Comtesse aux pieds nus* est promue impératrice, loin de la finesse de Winterhalter... Mais Ava Gardner vaut, de tout manière, le déplacement. Enfin, rendons l'hommage qui convient à l'évocation de l'Autriche décadente réalisée par Jean Cocteau dans *l'Aigle à deux têtes* (1947) où rôde le souvenir d'Élisabeth (Edwige Feuillère), souveraine éprise d'un anarchiste dans un drame « d'amour et de mort », prototype d'une existence condamnée, devenu un classique du cinéma de l'immédiat après-guerre.

Une scène du film « Ludwig » (1972, nouvelle version complète en 1983) : Romy est à nouveau Sissi, impératrice, reine et femme adulée.

1949 : l'actrice Marguerite Jamois est l'impératrice dans « Le Secret de Mayerling », film passionnant et oublié de Jean Delannoy, avec Jean Marais (Rodolphe).

1967 : dans « Mayerling », de Terence Young, Ava Gardner est une fascinante Elisabeth et James Mason un François-Joseph d'une étonnante ressemblance.

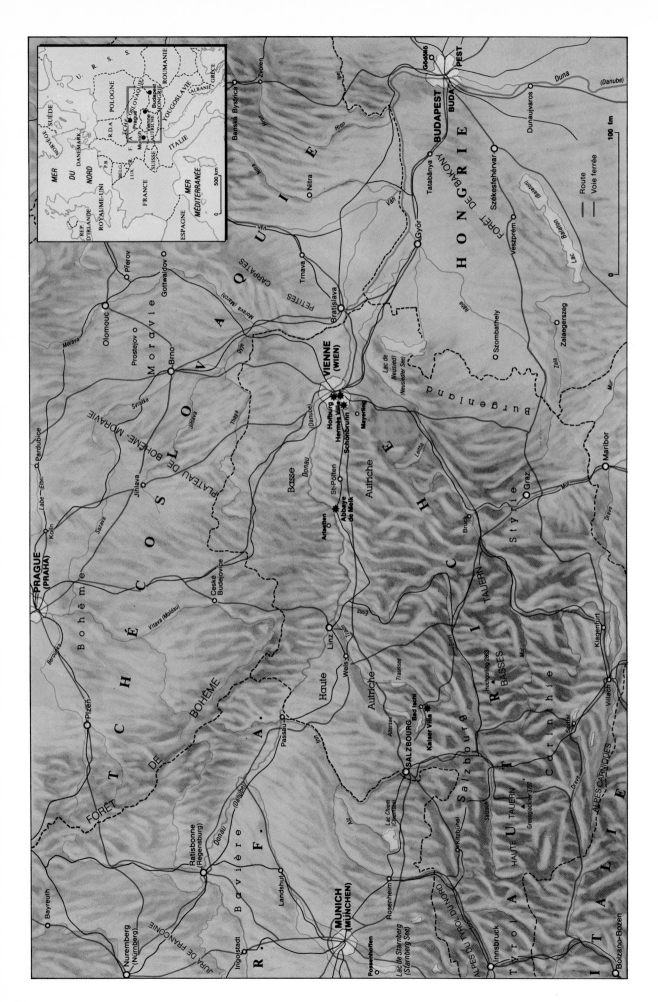

Les principales étapes de votre voyage sur les pas de Sissi, en Bavière, en Autriche et en Hongrie. Pour un itinéraire complet, ajoutez Genève, le Pays de Caux, Cap-Martin, Corfou et Madère.

Votre voyage au cœur de la nostalgie

*L*es conseils et renseignements donnés dans ce chapitre constituent la sélection de l'auteur en fonction de ses voyages et du thème central qui a motivé ce livre. Choix personnel, ils s'efforcent de permettre au lecteur de retrouver les principaux lieux et sites fréquentés par Sissi. Ils répondent à un double souci d'intérêt historique et esthétique d'une part ; de dépaysement et d'enrichissement touristique, d'autre part, avec un réel souci de confort.

Le voyage proposé concerne, principalement, l'Autriche et la Hongrie et accessoirement, la Bavière, Madère, Corfou, la Normandie, Genève, ces cinq destinations ayant plusieurs attraits et ne comprenant qu'un seul lieu — ou presque — correspondant au sujet. Enfin, il est bien évident que, autour de ce thème central qu'est le personnage de l'impératrice et reine Elisabeth, de nombreux autres centres d'intérêt s'offrent au lecteur-voyageur. Ils sont, en général, décrits et présen-

La maison natale et le portrait de Mozart.

tés par les guides et agences spécialisés auxquels l'auteur conseille vivement de se reporter.

Le programme choisi suppose un minimum de huit jours, de préférence en avril-mai ou septembre-octobre.

AUTRICHE

Salzbourg-Bad Ischl.
Selon les disponibilités et budgets, on peut arriver à Salzbourg en voiture (autoroute via Munich), en train (de nuit, en wagon-lit par l'Orient-Express) ou en avion (liaison quotidienne de Paris en début d'après-midi), ou en autocar.

Je signale que la solution de la voiture individuelle (personnelle ou de location, par exemple à Salzbourg rendue à Vienne) est, de loin préférable,

Une promenade en calèche.

Salzbourg : ses fontaines... et sa forteresse.

*L'église Saint-Pierre :
un chef-d'œuvre
du baroque.*

*La musique de l'orgue
des rues.*

*Salzbourg est traversée
par l'Inn.*

Les enseignes discrètes.

en raison du plaisir de la conduite à travers de magnifiques paysages mais en sachant que la circulation dans Vienne est, dans le centre, complexe et le stationnement, un exploit... auquel il vaut mieux renoncer !

Premier jour : Bien sûr, Salzbourg est la ville de Mozart. Vous visiterez donc sa maison natale, mais aussi la superbe église Saint-Pierre, le cimetière au pied du rocher et le parc dans lequel se trouve une statue d'Elisabeth.

Ne manquez pas de faire une promenade romantique en calèche, d'admirer les enseignes de la principale rue et de prendre le funiculaire qui vous hissera jusqu'au château d'où la vue sur la ville est magnifique.

Les magasins sont élégants et chers. Attention : le vêtement autrichien est ravissant et souvent bien porté sur place. Veillez à ce que son « importation » chez vous ne soit pas décevante. Un hôtel et un restaurant remarquables, de prix élevé, qui est une institution locale : le *Goldenes Hirsch*. Réservation indispensable.

Attention : en raison du festival Mozart, évitez absolument les mois de juillet et d'août. Les mélomanes ont alors la priorité et il est difficile de se loger dans la ville même.

Deuxième jour : Prenez la route en direction de Bad Ischl, au sud. A dix kilomètres de Salzbourg,

sur votre gauche, vous longerez le lac Fussl. C'est ici que furent tournées les scènes des films *Sissi* relatives à son enfance (laquelle eut lieu, en réalité, en Bavière). Arrêtez-vous au magnifique Schloss Hotel qui domine le lac. Cette ancienne résidence des princes-archevêques a été celle de Ribbentrop, ministre des Affaires étrangères de Hitler. C'est aujourd'hui un hôtel de luxe doté d'une table excellente. En continuant vers Bad Ischl (environ quarante minutes depuis Salzbourg) avant l'arrivée, vous passerez devant un chalet sombre, la villa Schratt. Cette pension de famille était la résidence que Mme Schratt, l'amie de François-Joseph choisie par Sissi, utilisait quand la famille impériale résidait à Bad Ischl.

Ischl a un charme « ville d'eaux » fin de siècle avec ses parcs, sa rivière et un aspect relativement peu abîmé si l'on excepte le bloc, très laid, du nouveau Kurhotel.

Centre thermal, c'est aussi un point de départ touristique pour la région des lacs et, en été, un

Fenêtres sur le passé.

*Pour vous mettre
en appétit : un bretzel
géant !*

rendez-vous de la musique avec le festival Franz Lehár. Le compositeur de *la Veuve joyeuse* et du *Pays du sourire* est honoré, chaque été, en août, par une très intéressante manifestation. Sa maison, le long de l'Ischl, est devenue un musée.

De l'autre côté du pont proche de la Lehár Villa, mais sur l'autre rive, remarquez l'édifice jaune de l'hôtel Austria. C'est ici, de ce balcon, que le 19 août 1853, François-Joseph a annoncé au peuple autrichien, à travers les habitants de Bad Ischl, ses fiançailles avec Sissi. Ils apparurent tous deux et furent applaudis longuement.

Garez la voiture avant l'entrée dans le parc de la Kaiser Villa. La villa (musée et propriété privée) est ouverte du 1er mai au 15 octobre, de 9 h à 11 h 45 et de 13 h 15 à 16 h 45. Comptez une heure pour apprécier l'intérêt de ces pièces ; un bref commentaire en français vous sera confié. Je conseillerais de choisir une visite en fin d'après-midi (vers 16 heures) et, surtout, de monter jusqu'au château de marbre (Marmor Schloss).

L'ancien pavillon où Sissi venait prendre le thé et écrivait ses poèmes a été converti en musée (public) de la photographie. Le salon rouge est somptueux. Nombreux souvenirs et portraits de l'impératrice. Belle vue sur la villa impériale et son agréable parc. Comptez quarante-cinq minutes pour ce complément — indispensable — de la villa impériale.

De tous les lacs de la région, le plus célèbre est celui de Saint-Wolfgang. Je vous suggère de vous y rendre ensuite (trente minutes de Bad Ischl). Le ravissant village — très touristique — possède deux éléments de curiosité, très prisés et fort différents.

D'abord, dans l'église, le magnifique rétable baroque de Michel Pacher. Puis l'imposante *Auberge du Cheval-blanc*, Im Weissen Rössl, rendue célèbre depuis 1930 par la délicieuse opérette qui s'y déroule. Une charmante étape pour la nuit. Très bonne table. Le directeur parle le français. Réservation indispensable.

Troisième jour : Direction Vienne. Pour le trajet (trois cent cinquante kilomètres, comptez une bonne demi-journée). Vous longerez différents lacs. Le plus beau est le Traunsee qui reflète des parois abruptes dans ses eaux calmes. Progressivement, des vallées s'élargissent et vous atteignez

le Danube. Il coule à travers des collines flanquées de vignobles, de vieux châteaux et de villages pittoresques. Plusieurs haltes et détours sont intéressants dans cette région, très célèbre, qu'est la Wachau. Songez que Sissi a parcouru cette partie du Danube en avril 1854 à la rencontre de François-Joseph et que toute la navigation avait été suspendue.

Deux sites remarquables : le château d'Artsetten. Propriété du comte et de la comtesse d'Harambure, il relate par une admirable exposition permanente, « De Mayerling à Sarajevo », les convulsions de l'Europe d'avant 1914. La propriétaire est la descendante de la comtesse Sophie Chotek, l'épouse de l'archiduc François-Ferdinand, tous deux assassinés à Sarajevo ; ils sont, d'ailleurs, inhumés ici.

D'autres expositions, provisoires, mettent en valeur différents aspects de la dynastie des Habsbourg. Comptez une bonne heure de visite. Ensuite, voyez la monumentale abbaye de Melk et ses trésors baroques. Neuf siècles de foi et d'histoire sont présentés dans un ensemble extraordinaire.

A noter : dans la galerie impériale, deux portraits en pied de François-Joseph et de Sissi, peu après leur mariage.

La villa musée de Franz Lehár.

Gloire à l'Autriche !

Bad Ischl : le balcon de l'hôtel Austria, souvenir de 1853.

Entre Salzbourg et Bad Ischl : les célèbres hôtel et lac Fussl.

Quatrième jour : Vous êtes à Vienne. Surtout logez dans le centre car c'est à pied, en tramway et en calèche que cette ville fascinante vous livrera quelques-uns de ses secrets.

Le *Sacher*, l'*Imperial*, le *Bristol* sont des établissements magnifiques. Près de la Kartnerstrasse, qui va de l'opéra à la cathédrale, le *Kaiserin Elisabeth* est plus modeste. Discret, avec de l'élégance et beaucoup de charme, le *König von Ungarin* (le Roi de Hongrie) est un hôtel derrière la cathédrale.

Une très bonne table : *Drei Hussaren* (les Trois Hussards). Innombrables cafés et pâtisseries, dont *Demel* où vous irez savourer le fameux gâteau aux pommes, léger comme une valse.

Visitez les appartements impériaux de la Hofburg tôt le matin. N'oubliez pas le trésor, dont la nouvelle présentation est très réussie. Puis la crypte des Capucins : le caveau ne désemplit pas depuis l'inhumation de l'impératrice Zita. Sissi, François-Joseph et Rodolphe y reposent, avec leurs cortèges d'énigmes.

Une halte chez *Demel* pour le déjeuner. Tôt l'après-midi, partez pour Schönbrunn car l'affluence rend la visite un peu fatigante. N'oubliez pas le Wagenburg (musée des carrosses). Puisque vous êtes dans le voisinage, essayez (c'est à quinze minutes) de visiter la Hermes Villa mais en sachant que, sauf dérogation exceptionnelle, il vous faudra, pour l'atteindre, traverser le beau parc à pied.

(Wien 13, Lainzer Tiergarten. Tél. : 84.13.24. Ouvert de mercredi à dimanche et jours fériés, de 9 heures à 16 h 30. L'exposition consacrée à Rodolphe s'y déroule jusqu'au 4 mars 1990.)

Option possible à votre retour : une brève visite au musée des Sciences et des Techniques, tout près de Schönbrunn, pour voir l'étonnante voiture-salon de l'impératrice. Le soir, bien

Des ruines dominent le Danube.

Vienne : la « maison de la Sécession ».

La cathédrale Saint-Étienne.

Station de métro Otto Wagner.

L'église de Saint-Charles Borromée, dans le centre de Vienne.

entendu, un dîner dans une *Heurigen*, taverne où l'on déguste le vin nouveau, en musique, accompagné d'une cuisine rustique et solide, est typiquement viennois en même temps que touristique. Demandez donc à découvrir le charmant quartier-village de Grinzing.

Cinquième jour : Tôt le matin, assistez à une reprise de l'École espagnole d'équitation, dans le manège d'hiver. Sissi venait y travailler avec ses lippizans. Leur robe grise en fait des magnifiques chevaux, admirablement dressés par les écuyers en livrée XVIIIe. Attention : ce spectacle est très couru. La réservation est indispensable, sinon vous resterez debout. Ville d'art, Vienne vous offre le choix le choix de musées fort riches. Ne manquez pas le musée des Beaux-Arts (Kunst-historisches Museum) où les Rubens et les Dürer vous émerveilleront. Consacrez votre après-midi à une promenade-pèlerinage à Mayerling. Comptez quarante-cinq minutes pour y aller. Le café à côté de l'allée conduisant au couvent édifié sur les lieux de la tragédie est, lui aussi, empli d'un charme nostalgique. Sur le chemin du retour, arrêtez-vous à Heiligenkreuz. L'abbaye de la Sainte-Croix, tenue par les cisterciens, est digne d'intérêt. Dans le cimetière qui en dépend, de l'autre côté de la route, après une montée, vous pourrez voir la tombe de Marie Vetsera. Des exhumations, notamment en 1959, ont permis de constater que le corps de la jeune fille ne comportait pas les blessures qui avaient été indiquées, en 1889, par la version officielle. Ceci pourrait permettre de remettre en cause la thèse, classique, du double suicide de Rodolphe et de Marie.

Un séjour à Vienne sans une soirée à l'Opéra est impensable. Attention : l'engouement et la passion des Viennois pour leur plus prestigieuse salle obligent le visiteur à une réservation préalable. Pour ces spectacles de haut niveau lyrique et scénique, une tenue correcte est souhaitable. N'oubliez pas de voir (sur demande) le salon où l'impératrice faisait servir le thé pendant les entractes. Il a échappé aux bombardements qui ont nécessité la reconstruction presque totale de l'édifice en 1955. Soupez au Sacher, en face, de préférence dans le salon rouge, sous les portraits impériaux (réservation).

HONGRIE

Sixième jour : Vous gagnez Budapest. Selon le temps dont vous disposez, le trajet (267 kilomètres) peut être fait en voiture ou autocar, sachant que le passage de la frontière risque d'être assez long, environ une heure. Attention : vous devez avoir un visa hongrois, qui est valable pour une durée de six mois mais pour une seule entrée. Des trains rapides sont également pratiques. Mais afin de conserver à votre voyage une note romantique, je suggère le trajet en bateau. On vous dira, peut-être, que ce parcours est long (une journée)

Saint-Wolfgang : le retable de Michel Pacher (XVIIᵉ siècle).

et que le Danube n'est pas, dans cette partie, le plus majestueux. Certes. Mais d'antiques bateaux à aubes circulent toujours et l'arrivée à Budapest, le soir, avec les éclairages de cette ville multiple vaut un peu de patience. C'est la plus belle manière d'arriver dans la capitale hongroise. Choisissez, de préférence, un hôtel dans Buda. Le *Hilton* est un palace merveilleusement intégré dans les ruines d'une ancienne abbaye. Grand confort, service appliqué et bonne cuisine. Demandez, si possible, des chambres avec vue sur le Danube et Pest : la vision est extraordinaire. Autre palace intéressant : le *Gellert*, sur la même rive. Un vieil hôtel fin de siècle, très Orient-Express, avec un établissement thermal digne d'un film de Visconti. A voir de toute manière.

Septième jour : Le tourisme individuel n'est pas encore bien reçu ; des visites proposées par l'organisme d'État Ibusz sont préférables, mais insistez sur le thème principal de votre voyage. Un arrêt à la statue de la reine Erzsébet, qui a été récemment replacée au bout du pont Erzsébet, s'impose. Puis franchissez le Danube et gagnez le centre de Pest, à partir de la place Vörösmarty tér. Édifices fin XIXᵉ, beaux arbres, rues piétonnes pour vos achats (objets en cuir, en bois, linge de maison, blouses sont intéressants. A côté de la station de métro — le premier en Europe continentale, inauguré par François-Joseph en 1896 — arrêtez-vous chez Gerbeaud, une pâtisserie-confiserie qui est un rendez-vous obligatoire et tire son nom de celui de son ancien propriétaire, d'origine suisse. Chocolat et gâteaux n'y ont rien à envier à leurs homologues viennois. Je vous suggère un déjeuner (ou un dîner) dans l'extraordinaire brasserie Hungaria, sorte de Lipp et de Bofinger d'Europe centrale, avec des caricatures et des dessins politiques au mur. Bonne cuisine avec goulash et paprika. Dégustez un vin blanc de la région du lac Balaton. L'après-midi, stationnez sur l'impressionnante place des Héros centrée autour du monument du Millénaire, qui fut commencé en 1896 pour célébrer, en présence du roi et de la reine — ce fut le dernier voyage de la souveraine en Hongrie — le millénaire de la conquête du pays par les Magyars. N'oubliez

La nostalgie des lacs.

Les rives paisibles du lac de Saint-Wolfgang.

Au-dessus de Bad Ischl, les sommets du Dachstein.

La gare de l'Ouest, à Pest, construite par Gustave Eiffel.

pas de visiter le Musée National hongrois qui, entre autres belles collections, abrite le trésor, dont la couronne de saint-Étienne, que l'on peut voir dans un imposant silence que vous ne troublerez sous aucun prétexte. La foule, locale et étrangère, défile avec respect. Finissez la journée en refranchissant le Danube pour voir le coucher de soleil à partir du palais royal, remarquablement restauré après la Deuxième Guerre mondiale. Dînez, par exemple, chez *Gundel*, en bordure d'un parc d'attractions, dans Pest (excellent vin de Tokai et crêpes onctueuses) ou bien chez les frères Logradi (élégant et cher mais décor ravissant et très bonne table).

Huitième jour : La matinée sera consacrée à visiter le château de Gödöllö, à quarante-cinq minutes au nord-est de la ville (autoroute). Ce palais baroque, construit entre 1744 et 1748 sur ordre du comte Grassalkovich, avait reçu la visite de l'impératrice Marie-Thérèse, en 1751. On doit le considérer comme le Schönbrunn hongrois. En 1867, lors de l'installation du compromis austro-hongrois, il fut donné par le peuple magyar aux souverains. Sissi (pardon : Erzsébet !) en fit une résidence d'été pour elle, le roi et leurs enfants. Ici, la reine de Hongrie fut très heureuse. Malheureusement, les vagues de destructions et de délabrements ont gravement endommagé ce magnifique château qui, jusqu'en 1988, était un hospice pour gens âgés. Un crédit de 180 millions de fto-

rints, première tranche d'une restauration estimée à 1 500 millions, a vu, enfin, l'arrivée des échafaudages. Vous ferez le tour du palais, verrez la chapelle. Puis, traversant la ut Szabadsag, vous flânerez dans le parc Erzsébet. La reine aimait ces ombrages. Une jolie statue commémore sa présence assidue ici et, derrière des bosquets, on peut voir le banc (qui était chauffé au bois !) où elle rêvait aux destins des peuples de la double monarchie. Terminez par le musée de la ville où de très nombreux souvenirs de la souveraine ont été rassemblés, notamment dans la reconstitution d'une chambre, avec beaucoup de goût et de dévotion pour le personnage qui avait choisi d'aimer, malgré les obstacles, la Hongrie.

Dans le quartier de Pest, les brasseries fin de siècle ont gardé leur charme. Ici, le fameux restaurant Hungaria, fréquenté par les voyageurs de l'Orient-Express.

VOS AUTRES VOYAGES RELATIFS A SISSI EN EUROPE :

France : en Normandie, le domaine de Sassetot-le-Mauconduit, près de Fécamp, a été reconverti en hôtel en 1989. 76540 Valmont. Tél. 35.28.00.11.

Suisse : à Genève, l'hôtel Beau-Rivage, où a expiré Sissi le 10 septembre 1898. Nombreux souvenirs, établissement luxueux qui a conservé l'essentiel de son aspect d'époque. Grande table, belle cave. 13, quai du Mont-Blanc. Tél. 22.31.02.21.

Grèce : Corfou et la villa de l'Achilléion, transformée en casino. La vue, des terrasses fleuries, explique l'engouement de l'impératrice pour cet endroit.

Portugal : l'île de Madère qui, à elle seule, justifie un séjour, ou une escale d'au moins une journée si vous êtes en croisière.

Crédit photos :

Artephot/Nimatallah : 6, 16 ; Cinémagence : 110 à 117 ;
Rapho/Everts : 64 (haut) ; Rapho/Tholly : 84 ;
Rapho/Martel : 85, 86 (photo n° 2), 88.
Carte de Patrick Mérienne : 118.

TABLE DES MATIÈRES

Remerciements

La réalisation de cet ouvrage n'a été rendue possible que par l'aide exceptionnelle accordée à Jean des Cars et au photographe Jérôme da Cunha. Au nom des Éditions Perrin et en leur nom personnel, ils tiennent à exprimer leur gratitude aux personnes et aux représentants d'organismes qui ont facilité leur tâche, en particulier S.A.I. et R. l'archiduc Marc d'Autriche-Toscane ainsi que son épouse, pour leur accueil inoubliable à la Kaiservilla ; S.A.I.R. l'archiduchesse Rosemary et l'archiduc Michel Salvator d'Autriche-Toscane, pour leur disponibilité inlassable ; le comte et la comtesse Romée d'Harambure pour d'extraordinaires visites et réceptions au château d'Artsetten ; la direction du Château de Marbre, à Bad Ischl, ainsi que Mmes Ursula Ehrnstorfer et Friederike Steinkogler ; le Dipl. Ing. Dr. Richard H. Kastner, directeur du Musée de la Hofburg, à Vienne, ainsi que M. Werner Becker, superviseur des appartements impériaux, Mme Édith Czap, Assistante de Direction et Mme Renate Dvorak, pour son très aimable accueil en français. Nos remerciements s'adressent, également, à la Direction des Musées de la Ville de Vienne et notamment à M. Fellinger ainsi qu'à toute l'équipe responsable de la Hermèsvilla, au personnel du Musée des Techniques ; à M. Polonyi, conservateur du Musée de Gödöllö, près de Budapest, pour la manière dont il a acquiescé à nos demandes ainsi que son aide dans le château et le musée.

Nous aimerions, également, adresser notre gratitude, à toute la famille Mayer, propriétaire qui dirige l'hôtel Beau-Rivage de Genève, en particulier à Catherine Nickbarte-Mayer et Jacques Mayer pour leurs concours précieux et toujours aimables ; à M. et Mme Jules J. Kovacs qui ont aidé l'auteur à approfondir le rôle de la reine Erzsébet en Hongrie ; à Krista Canguilhem pour ses talents, souriants, de traductrice ; à Danielle Riffaud, du Château de Sassetôt-le-Mauconduit ; à Anne Bessand-Massenet pour sa contribution iconographique ; à la Direction de l'agence « La Fugue », à Paris et à Vienne (Frédéric Pfeffer, Jean-Marie Viollet, Michael Berthold) ainsi qu'à Claire Amblard, Michelle Veran et Christine Ciccolini, de l'agence « Athenaeum/Tapis Rouge International ». Enfin, une reconnaissance particulière ira à LL.AA.SS. le prince et la princesse Vincent de Liechtenstein pour les innombrables renseignements et précisions apportés à l'auteur. Que les collectionneurs publics et privés, détenteurs d'archives et descendants directs ou indirects de l'impératrice qui souhaitent conserver l'anonymat, trouvent, ici, l'expression de notre vive et reconnaissante sympathie.

Villa Igiea, Palerme
San Domenico, Taormina,
14 juillet 1989.

Achevé d'imprimer
sur les presses
de MAME IMPRIMEURS, à Tours
N° d'impression : 24902
Dépôt légal : juillet 1990